LA DIÉTÉTIQUE, UN ART DE VIVRE

CLAIRE PINSON

LES ESSENTIELS MILAN

Sommaire

Histoire

Diététique

Pour compléter l'alimentation

Surpoids et régimes alimentaires

Alimentation et santé

Approfondir

Les mots suivis d'un astérisque (*) sont expliqués dans le glossaire.

L'équilibre alimentaire, un combat difficile

Contrairement à ses ancêtres – dont l'alimentation était souvent insuffisante ou carencée – l'homme occidental moyen détient aujourd'hui toutes les données pour se composer des menus sains et équilibrés afin de subvenir aux besoins de son organisme et se maintenir en bonne forme physique. Et pourtant, paradoxalement, il mange mal et souvent trop. Résultat, le nombre de maladies liées au surpoids et à la « malbouffe » (arthrose, maladies cardio-vasculaires, certains cancers...) ne cesse de s'accroître.

Ce livre ne propose pas de régime miracle mais expose en termes clairs tout ce que chacun doit savoir pour équilibrer son alimentation et améliorer son hygiène de vie, dans le but de conserver ou de recouvrer la santé.

Il tient compte des dernières découvertes en matière de diététique et de nutrition, s'attarde sur l'importance de la consommation de certains aliments afin de prévenir l'apparition de la maladie, sans oublier d'évoquer les facteurs psychologiques qui peuvent mener à une conduite alimentaire pathologique qu'il convient de traiter.

Que chacun puisse, après la lecture de cet ouvrage, faire sien l'adage de Juvénal (v. 60-v. 130) : *Mens sana in corpore sano*, « un esprit sain dans un corps sain ».

Histoire de la nutrition

Très tôt, les hommes ont pris conscience que le mode d'alimentation avait une influence sur la condition physique et psychique.

La santé dans l'assiette
Dès l'Antiquité, et ceci malgré leur ignorance en matière d'alimentation, les médecins ont mis au point des règles d'hygiène de vie pour tenter de maintenir et de restituer la santé. Le médecin grec Dioclès (IVe siècle av. J.-C.) conseille par exemple pour rester en bonne santé, de consommer plutôt les fruits en début de repas.

Les orgies romaines
Durant l'Antiquité romaine, apparaissent les orgies, repas durant lesquels, des heures durant, les invités mangent avec les doigts, allongés sur des lits. Pour remédier à ces excès, des régimes, des périodes de jeûne ou encore des bains de vapeur sont préconisés.

Préhistoire et Antiquité

On peut – en schématisant – scinder les temps préhistoriques en deux périodes : le paléolithique, époque où l'homme nomade se nourrit du produit de la cueillette et de la chasse pour assurer sa survie, et le néolithique, où il invente l'élevage et la culture (notamment des céréales) qui constituèrent durant plusieurs siècles, la base de son alimentation.

Dans l'Antiquité grecque et romaine, on découvre le plaisir de se réunir autour d'une table. Les repas des populations grecques restent généralement simples et légers et se composent essentiellement de céréales, de légumes, de fruits et de viandes rôties. Le vin est consommé avec modération pour ses vertus fortifiantes. Hippocrate (460-377 av. J.-C.), le père des médecines, insiste sur l'importance d'une alimentation saine alliée à l'exercice physique et aux ablutions. C'est l'époque du culte de l'athlète grec, au corps sain et musclé. Les Romains, eux, accordent plus d'intérêt aux plaisirs de la table qu'à l'exercice physique. Leur alimentation quotidienne est à base de céréales, de légumineuses et de légumes – auxquels on prête de nombreuses vertus –, de viandes et, plus tard, de poissons. Les épices et aromates sont copieusement consommés : on en trouve dans la plupart des préparations culinaires et des pains.

Le Moyen Âge et la Renaissance

Au Moyen Âge, l'élevage se développe. L'alimentation des guerriers devient essentiellement carnée. Déjà, les athlètes grecs consommaient beaucoup de viande – censée prodiguer force et vitalité. Cette idée perdure au Moyen Âge, où les combattants consomment de la viande pour gagner courage et énergie. En Gaule, l'emprise de la religion catholique, qui préconise la frugalité et le jeûne, influence le mode d'alimentation. Comme la gourmandise est un péché, on se méfie des excès en tous genres et des orgies alimentaires en particulier, bien que l'on assiste encore, de manière ponctuelle, à des banquets.

L'époque de la Renaissance fait la part belle aux régimes* alimentaires – synonymes de forme et de santé – et à l'activité physique. Des exercices corporels visant à améliorer la digestion sont préconisés. On insiste également sur l'importance des horaires et du sommeil. L'autodiscipline est à l'ordre du jour : chacun est libre d'adopter une hygiène alimentaire rigoureuse pour conserver la santé.

S'autodiscipliner
Le doge vénitien Luigi Cornaro (1467-1566), condamné par les médecins, s'astreint à un autocontrôle alimentaire sévère qui l'amène à la guérison. En 1558, il publie un ouvrage intitulé *Discours sur la sobriété*, où il expose ses principes et insiste sur l'importance de l'autodiscipline.

Du XVIIe siècle au XIXe siècle

Au XVIIe siècle, l'art de la table se développe en Europe. Les couverts font leur apparition, les repas s'étalent sur plusieurs heures, la variété des plats est immense. La consommation de sucre se démocratise. Pour compenser les excès, il est recommandé de s'astreindre régulièrement à des périodes de diète et de recourir à des techniques thérapeutiques telles que les purges et les saignées. Au XVIIIe siècle, la pomme de terre (originaire du Pérou) est introduite en France par le pharmacien Antoine Parmentier (1737-1813). La vulgarisation de sa culture et de sa consommation permet de lutter contre la famine.

Le XIXe siècle marque le début d'une période orientée vers l'hygiène pour tous, afin de prévenir l'apparition de la maladie. La pasteurisation des aliments fermentescibles apparaît en 1865 grâce au chimiste et biologiste Louis Pasteur (1822-1895). D'autre part, on s'aperçoit que les ouvriers qui ont une alimentation enrichie en produits carnés augmentent leurs potentialités physiques.

Aux temps préhistoriques, l'homme se nourrissait pour assurer sa survie. Il a ensuite découvert que manger représentait un plaisir, donnant parfois lieu à des excès.

L'alimentation des Occidentaux aujourd'hui

Dans nos pays industrialisés, la proportion de personnes en surpoids ne cesse d'augmenter.

Le surpoids chez l'enfant
Aux États-Unis, sur dix enfants âgés de 6 à 11 ans, trois sont obèses – et ces proportions ne cessent d'augmenter. Ce phénomène gagne peu à peu la France, puisque depuis dix ans, la part des enfants atteints d'un surpoids a augmenté de moitié. Trop peu d'activité physique, une mauvaise éducation alimentaire, le grignotage entre les repas, des repas pris devant la télévision sont considérés comme responsables de cette augmentation.

Une alimentation déséquilibrée

Le niveau de vie de la plupart des Occidentaux est globalement satisfaisant. L'information en matière de nutrition est aujourd'hui largement diffusée par le biais des établissements scolaires, des médias, des pouvoirs publics... Pourtant, paradoxalement, l'homme moderne se nourrit trop et mal. Même s'il est désormais connu qu'il faut limiter sa consommation de lipides* et privilégier celle de protéines* et de sucres à index glycémique faible – « sucres lents » –, sans oublier celle des fibres alimentaires*, les produits proposés au grand public sont généralement trop riches en calories* et pauvres en nutriments* de bonne qualité. Adopter une alimentation équilibrée demande une bonne dose d'autodiscipline. En effet, l'homme moderne est attiré par la nourriture industrialisée (trop grasse et trop sucrée) parce qu'elle est, de prime abord, meilleure au goût – rappelons que les nouveau-nés, déjà, sont spontanément attirés par le goût sucré – et qu'elle ne requiert pas, ou peu, de préparation.

Des apports caloriques quotidiens trop élevés

La plupart des Occidentaux menant une existence sédentaire ont une ration calorique quotidienne trop élevée. Ainsi, selon l'édition de 1997 du *Quid*, en 1992, les habitants des États-Unis absorbaient en moyenne 3 732 calories par jour, dont 1 405 apportées par les lipides – alors que la bonne moyenne est de 2 000 à 2 600 calories pour un homme de 1,80 m, de poids normal, à l'activité physique modérée –, les Espagnols 3 708, les Français 3 633, les Italiens 3 561, les Canadiens 3 094, les Cubains 2 833 et les Haïtiens seulement 1 706. Le fait de prendre ses repas à l'extérieur (cantine, restaurant...) ou de manger en exerçant une activité annexe (regarder la télévision, lire...) favorise les excès alimentaires.

L'obésité : un problème de santé publique

L'obésité* correspond à un surcroît de stockage des graisses. Plus l'excès de poids est important, et plus l'espérance de vie diminue. En France, le taux de personnes obèses est de 29 % d'hommes et de 22 % de femmes. Pourtant, un sondage SOFRES réalisé en 1990 a révélé que 68 % des Français se sentent préoccupés par ce qu'ils considèrent comme un excès de poids (77 % de femmes et 58 % d'hommes). Il y a donc un décalage entre l'obésité réelle et l'image que les Français ont d'eux-mêmes. Parmi ces 68 % de personnes désirant perdre du poids, 85 % ont maigri, mais 45 % ont repris tout le poids perdu, voire plus.

Les risques liés à l'excès de poids

Une étude menée aux États-Unis, sur 4,9 millions de personnes, par plusieurs compagnies d'assurance-vie nord-américaines, a permis d'établir une grille de poids indiquant les taux de mortalité les plus bas en tenant compte de la taille, du sexe et de l'ossature du sujet. Cette enquête a par exemple souligné que le risque de mortalité d'un homme âgé de 30 à 40 ans était moins important lorsque son poids était inférieur de 10 à 15 % au poids théorique. Au contraire, il augmente quand le poids réel dépasse de 25 à 30 % le poids théorique. On sait aujourd'hui que la corpulence peut être due à des facteurs génétiques comme à une mauvaise hygiène de vie. Or, les excès alimentaires augmentent les prédispositions de chacun à développer une obésité, ainsi que des troubles plus ou moins sérieux – notamment des maladies cardio-vasculaires.

Le poids des années
Dans nos pays industrialisés, on observe généralement une prise de poids de l'ordre de 10 kg entre 20 et 50 ans. Si ce surpoids est gynoïde (partie inférieure du corps), le problème est purement esthétique. S'il est androïde (partie supérieure du corps), les risques d'hypertension et de maladies cardio-vasculaires sont accrus. Il s'agit, dans ce cas, d'allier exercice physique et régime* afin de reperdre environ 5 kg.

La vie sédentaire, les mauvaises habitudes alimentaires et le mode de vie contemporain sont des facteurs qui favorisent le surpoids des adultes et, plus récemment, des enfants occidentaux.

L'alimentation à travers le monde

Chaque population a ses habitudes alimentaires, plus ou moins bénéfiques pour la santé. Une alimentation légère et équilibrée est généralement un gage de santé et de longévité.

Céréales et légumineuses : le duo gagnant
L'association semoule, pois chiche, petite quantité de viande apporte des protéines d'excellente qualité qui se complètent entre elles et potentialisent leurs effets bénéfiques. Le chili con carne, associant haricots secs, riz et viande, est également un plat très équilibré. Certains plats indiens, à base de riz (céréale) et de lentilles (légumineuse), ou d'Amérique centrale, composés de maïs et de haricots secs, mais dépourvus de viande sont également à privilégier car leurs acides aminés essentiels se complètent et apportent au corps les protéines dont il a besoin.

Le paradoxe français

La consommation d'un bon vin rouge aide à lutter contre les maladies cardio-vasculaires, car le vin contient des substances qui augmentent le taux de bon cholestérol – protecteur des artères –, et des tanins qui auraient un rôle anti-oxydant.
Or, les Français ne rechignent pas à boire de un à trois verres de bon vin rouge par jour. Ce qui explique le fait que les maladies cardio-vasculaires sont moins fréquentes en France que dans les autres pays d'Europe, bien que l'alimentation des Français soit riche en lipides* saturés (graisses susceptibles de se déposer sur la paroi des artères).

L'anti-modèle américain

L'alimentation des Américains comprend trop de graisses saturées et de sucres rapides.
Résultat, aux États-Unis, 31 % des hommes et 24 % des femmes ont un IMC* (indice de masse corporelle) compris entre 25 et 30 (on considère qu'un indice de masse corporelle compris entre 18,5 et 25 est normal), et 12 % des hommes ainsi que des femmes ont un IMC supérieur à 30 (source : *Bray G. A. Obesity in America. Proceedings of the 2nd Fogarty International Center Conference on Obesity, Washington,* 1979).
Ce qui explique sans aucun doute le fait que le nombre de maladies liées à une mauvaise hygiène alimentaire et à l'obésité y est nettement plus élevé qu'en France.

Le régime crétois

De récentes études ont démontré que les Méditerranéens en général, et les Crétois en particulier, avaient une espérance de vie particulièrement élevée. Les scientifiques ont donc étudié le mode de vie de ces populations. Ils sont arrivés à la conclusion que leur alimentation jouait un rôle certain dans la prévention des maladies cardio-vasculaires ; elle limiterait également l'apparition de certains cancers, aurait une influence bénéfique sur l'hypertension artérielle et favoriserait le maintien des facultés mentales jusqu'à un âge avancé.
Ce régime particulièrement sain s'articule autour de cinq pôles fondamentaux :
– consommation d'huile d'olive, riche en acides gras mono-insaturés (protecteurs des artères) ;
– faible consommation de produits d'origine animale ;
– forte consommation de légumes (légumes verts, tomates, ail, poivrons, courgettes), de fruits et de légumineuses (riches en fibres alimentaires et en vitamines*) ;
– consommation quotidienne, en petites quantités, de vin de bonne qualité ;
– apport calorique quotidien raisonnable (entre 1 800 et 2 500 calories par jour).

Le Japon
L'alimentation des Japonais, riche en fruits, légumes, céréales et en tofu, pâte de soja riche en protéines d'excellente qualité, explique certainement la rareté des maladies cardio-vasculaires dans ce pays.

L'Arctique

Les Eskimos, qui consomment beaucoup de poissons gras, ont un taux de cholestérol pourtant très faible et ignorent l'infarctus. Des recherches ont mis en évidence le fait que les huiles de poissons contiennent beaucoup d'acides gras poly-insaturés, qui font baisser le taux de cholestérol global, et des acides gras mono-insaturés qui, eux, diminuent uniquement le taux de mauvais cholestérol. La consommation d'huile de poisson (huile de saumon...) ou, tout simplement, l'ajout de trois plats de poisson gras par semaine au menu est conseillée pour prévenir l'apparition de maladies cardio-vasculaires ou lutter contre l'hypertriglycéridémie (excès de certaines graisses dans le sang).

Le mode d'alimentation de chaque population a une incidence positive ou négative sur sa santé.
Il est conseillé de consommer peu de lipides saturés, une petite quantité de protéines* animales et beaucoup de produits d'origine végétale (légumes, fruits, céréales, légumineuses).

Les besoins de l'organisme

Pour fonctionner correctement, l'organisme humain doit recevoir quotidiennement toutes les substances nécessaires au maintien de la santé. Ces besoins varient selon la morphologie, l'âge, le sexe et l'activité physique de l'individu.

Importance de l'alimentation

Le corps humain est composé de milliards de cellules agencées en tissus formant les organes. On peut le comparer à une usine qui, pour fonctionner, doit recevoir quotidiennement une énergie suffisante afin d'être capable d'effectuer certaines tâches (*voir* pp. 14-15). Il est fait de 70 % d'eau, de 26 % de protéines*, glucides* et lipides* et de 4 % de sels minéraux* et d'oligo-éléments. Ces substances sont apportées tous les jours par l'alimentation. Lors de la digestion, les aliments sont transformés en nutriments (protéines, glucides, lipides) et micronutriments* (vitamines*, sels minéraux, oligo-éléments). Si l'alimentation d'un individu est insuffisante ou déséquilibrée, des carences surviennent, pouvant entraîner des troubles divers. Par exemple, une alimentation pauvre en protéines (« composant de base » de notre organisme et ne pouvant être stocké) provoquera une fonte de la masse maigre (muscles, organes...), tandis qu'une carence en calcium pourra provoquer des retards de croissance et une fragilité osseuse. En revanche, l'organisme emmagasine l'excès d'énergie apportée par les lipides ou les glucides sous forme de tissu graisseux (ou tissu adipeux).

Entrées et dépenses énergétiques
Quand l'énergie apportée par l'alimentation est supérieure aux dépenses effectuées par l'organisme, elle est stockée dans les adypocytes (cellules qui ont pour rôle de stocker la graisse). En revanche, quand les dépenses sont supérieures aux entrées, l'organisme puise dans la masse grasse l'énergie dont il a besoin et le sujet maigrit.

Apport énergétique quotidien et différents nutriments

Les professionnels de l'alimentation s'accordent pour dire que l'apport énergétique quotidien doit être réparti de la façon suivante :

– 55 % sous forme de glucides ;
– 25 à 30 % sous forme de lipides ;
– 15 à 20 % sous forme de protéines (protides), soit 1 g par jour et par kilo de masse corporelle.

L'organisme doit également recevoir une certaine quantité de vitamines, d'oligo-éléments et être suffisamment hydraté.

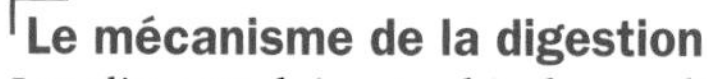

Le mécanisme de la digestion

Les aliments doivent subir des modifications pour être assimilés par l'organisme. On appelle ce phénomène la digestion.

Après transformation, certaines substances sont utilisées par l'organisme, d'autres sont stockées, d'autres évacuées.

Différents organes interviennent dans le mécanisme de la digestion :
– la cavité buccale, dans laquelle sont broyés les aliments ;
– l'œsophage, qui conduit les aliments mastiqués vers l'estomac ;
– l'estomac, où sont véritablement transformés les aliments, qui peuvent ainsi, sous forme d'éléments plus simples, traverser la paroi de l'intestin grêle ;
– le duodénum (portion initiale de l'intestin grêle), où se poursuivent les transformations, notamment grâce à l'action de la bile et des sécrétions pancréatiques ;
– l'intestin grêle, où sont absorbés les aliments ;
– le gros intestin, qui continue la tâche de réduction des déchets ;
– le rectum (dernière partie du côlon), où sont stockés les résidus ;
– l'anus, par lequel sont évacués les déchets.

Les aliments que nous mangeons sont digérés et transformés en lipides, glucides, protéines, acides aminés, sels minéraux et oligo-éléments. Ces composants passent ensuite dans l'organisme à travers la paroi de l'intestin grêle. Les déchets sont éliminés dans les selles.

Les règles de base

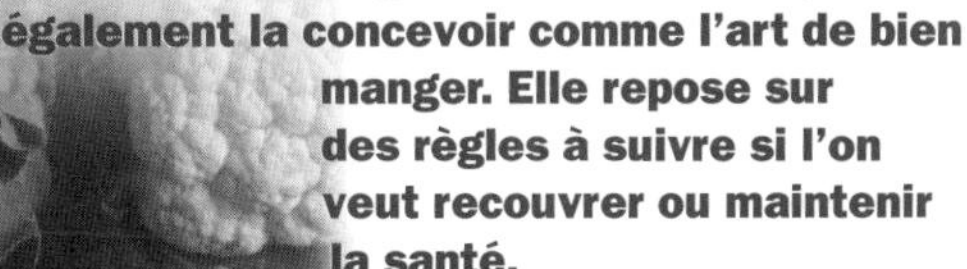

La diététique peut se définir comme la science des régimes alimentaires ; il faut également la concevoir comme l'art de bien manger. Elle repose sur des règles à suivre si l'on veut recouvrer ou maintenir la santé.

Manger de tout, un peu

Il est indispensable d'adopter quotidiennement une alimentation variée et légère en respectant la règle des 55/30/15 % (*voir* pp. 10-11). Exclure une catégorie d'aliments peut mener, à long terme, à des carences ou à la maladie. Par exemple, une alimentation pauvre en fruits et en légumes (eux-mêmes riches en fibres et en vitamines*) favoriserait l'apparition du cancer du côlon. On sait également qu'une alimentation trop riche en lipides* saturés joue un rôle dans l'apparition de maladies cardio-vasculaires.

Faire trois repas par jour

Sauter un repas ne fait pas maigrir, au contraire. En effet, lors des repas suivants, l'organisme, qui a été privé de nourriture, stockera de l'énergie sous forme de tissu graisseux afin de faire face aux éventuels jeûnes à venir. Faire une croix sur le repas du midi, c'est s'assurer de manger plus et mal le soir.
Rien ne s'oppose au fractionnement des trois repas quotidiens en quatre, voire cinq petits repas (petit déjeuner-collation du matin-déjeuner-goûter-dîner) dans la mesure où la valeur calorique globale reste la même, et que la règle du 55/30/15 % est respectée.

Éviter l'alternance amincissement/prise de poids

Pour des raisons de santé, ou purement esthétiques, certaines personnes suivent un régime alimentaire à visée amincissante et perdent quelques kilos... qu'elles reprennent aussitôt. Il faut savoir que ce procédé est néfaste : l'organisme, habitué aux privations, stocke davantage de tissu graisseux.
D'autre part, les nouvelles cures d'amincissement deviennent de moins en moins efficaces car le corps, pour faire face aux éventuelles restrictions alimentaires à venir, apprend à survivre en dépensant moins d'énergie. D'où l'importance de la phase de stabilisation suivant la période de régime alimentaire, au cours de laquelle les aliments momentanément écartés seront réintroduits progressivement (*voir* pp. 38-39).

Le petit déjeuner : un repas essentiel
Ce repas, trop souvent négligé par les Français, doit apporter le quart de la ration calorique quotidienne globale. Il est conseillé de consommer, outre la traditionnelle tasse de thé ou de café sucré, une tranche de pain complet légèrement beurrée (on peut remplacer le beurre par de la margarine), un laitage ou une demi-tranche de jambon ou de blanc de dinde et un fruit frais.

Exercer une activité physique

Exercer régulièrement une activité physique offre plusieurs avantages :
- aider le corps à se maintenir en forme ;
- brûler davantage d'énergie pour rester mince ;
- augmenter la masse maigre (muscles) dont l'entretien, à lui seul, demande beaucoup d'énergie, même au repos.

L'idéal serait de pratiquer une heure d'activité physique par jour (marche, bicyclette...) ou trois heures d'affilée par semaine. Mais chacun se doit d'adapter ce conseil en fonction de ses capacités physiques et de ses disponibilités (*voir* pp. 40-41).

Pour conserver forme, ligne et santé, il convient de manger de tout en quantité raisonnable, de faire trois vrais repas par jour, d'éviter les périodes de frustration et d'abondance et de boire suffisamment, de préférence entre les repas.

Boire 1,5 litre d'eau par jour

Pour drainer les toxines et limiter le grignotage entre les repas, il convient de boire suffisamment : 1,5 litre de boissons non sucrées et non alcoolisées par jour – eau plate ou gazeuse (attention toutefois aux ballonnements), infusions, thé ou café (en quantité limitée pour éviter les effets néfastes de la caféine). Pour en savoir plus, *voir* pp. 22-23.

Énergie et calories

Les aliments contiennent des éléments qui, lors de la digestion, se transforment afin de fournir l'énergie indispensable à l'organisme. La valeur énergétique des aliments représente la quantité de calories dégagées par leur combustion dans l'organisme.

À savoir
L'énergie dégagée par 1 g de protéines* est de 4,2 calories, 3,74 pour les glucides* et 9,3 calories pour les lipides*. Les protéines en excès ne peuvent être stockées et sont détruites. Le stockage des graisses alimentaires absorbées en excès brûle environ 4 % de la quantité stockée, tandis que 25 % environ de la valeur calorique des glucides consommés en excès seront utilisés pour réaliser le stockage.

Qu'est-ce qu'une calorie ?

Une calorie* est la quantité de chaleur nécessaire pour élever un litre d'eau d'un degré. Cette unité de mesure est utilisée en physique, mais également en diététique*, pour mesurer et désigner la valeur énergétique des aliments.
En réalité, il faudrait employer les termes de « kilocalorie » ou de « grande calorie ». Mais pour plus de facilité, on emploie couramment le terme de « calorie ». D'autre part, l'unité de mesure « calorie » ou, plus précisément, « kilocalorie » n'est plus légale en France ; elle devrait être remplacée par « kilojoule », qui désigne une unité de mesure de travail plus appropriée à la mesure de l'énergie dégagée par un aliment. Pour mémoire, une grande calorie (ou kilocalorie), c'est-à-dire ce que nous appelons, dans le langage courant, une calorie, équivaut à 4,184 kilojoules. Certains éléments sont dits « caloriques », d'autres « peu caloriques », selon que l'énergie qu'ils dégagent est importante ou pas.

L'énergie

Les aliments, qui agissent comme de véritables combustibles, sont indispensables pour fournir à l'organisme l'énergie dont il a besoin pour :
– pourvoir à l'entretien des « machines » (organes, viscères...) : c'est le métabolisme de base ;
– effectuer une activité physique : marcher, taper à la machine, s'entraîner au football ;
– maintenir le corps à 37 °C ;
– transformer les aliments en énergie.

Le métabolisme de base
Le métabolisme de base, ou métabolisme de repos, désigne les dépenses d'énergie nécessaires à l'organisme pour se maintenir en vie. Le renouvellement des cellules, la circulation du sang demandent de l'énergie jour et nuit. Chez l'individu adulte sédentaire, ces dépenses sont de l'ordre de 70 % des dépenses énergétiques globales.

Il faut savoir que certaines émotions brûlent également de l'énergie, mais cette dépense est difficile à estimer.
L'énergie dont a besoin chaque individu au quotidien varie selon différents facteurs (âge, sexe, morphologie, activité physique). Le métabolisme de base, qui représente l'énergie indispensable au maintien des fonctions vitales, est régi par la glande thyroïde. Cette petite glande endocrine, située à la partie antérieure du cou, sécrète des hormones bien spécifiques. En cas d'hyperthyroïdie (la glande fonctionne trop), le corps brûle davantage d'énergie. Dans le cas contraire (hypothyroïdie), l'activité de la glande est anormalement ralentie.
Certains sujets atteints d'un surpoids incriminent le mauvais fonctionnement de leur glande thyroïde.
En réalité, ce type de pathologie est assez rare, et nécessite un traitement pointu et une surveillance médicale particulière.
Durant une période, certains médecins ont prescrit des extraits thyroïdiens à des personnes dont la glande fonctionnait normalement, cela afin d'obtenir un amincissement. Ces pratiques sont aujourd'hui interdites en France car elles provoquent des effets secondaires lourds (troubles cardiaques, bouffées de chaleur, insomnies, nervosité, agressivité...).
Les kilos perdus (et repris dès l'arrêt du traitement) ne concernent pas seulement la masse grasse, mais aussi la masse maigre (muscles et organes).
Des troubles du fonctionnement de la glande thyroïde, bien réels cette fois, peuvent également survenir par la suite.

Énergie et amincissement
On obtient l'amincissement en abaissant les recettes énergétiques quotidiennes sur une période de plusieurs semaines. Il convient d'adopter un régime* équilibré afin que l'organisme puise dans ses réserves de graisse et non dans la masse maigre.

On utilise l'unité de mesure « calorie » pour désigner la valeur énergétique des aliments, dont la combustion dégage de l'énergie. Cette énergie est utilisée pour pourvoir aux différents besoins de l'organisme.

Les protéines

Appelées également protides, ces molécules représentent le composant architectural de l'organisme. Elles ne peuvent être stockées, d'où l'intérêt de consommer quotidiennement en quantité suffisante des protéines de bonne qualité.

Les protéines dans le corps humain : un double rôle

Les protéines* constituent la charpente du corps, à l'intérieur et autour des cellules (la membrane cellulaire). La kératine, présente dans la couche cornée de la peau, le collagène, principal élément du tissu conjonctif, et l'hémoglobine, qui donne sa couleur rouge au sang, sont des protéines.
Certaines protéines, telles que les hormones ou les anticorps, jouent un rôle important dans le fonctionnement de l'organisme. Il faut savoir, par exemple, que les enzymes – qui sont des protéines – interviennent lors de la digestion. Elles sont constituées de molécules de grande taille. Lors de la digestion, elles sont transformées en acides aminés, qui passent dans le sang via l'intestin. Ces acides aminés sont alors utilisés pour la construction et le renouvellement des tissus. Il existe vingt acides aminés. Parmi eux, huit sont dits essentiels car ils ne peuvent être synthétisés (fabriqués) par l'organisme, et doivent être présents quotidiennement dans notre alimentation (*voir* pp. 28-29).

Protéines et régime amincissant
La consommation de protéines est particulièrement recommandée lors des régimes* amincissants. On peut passer de l'apport recommandé quotidiennement, qui est de 15 % de la ration calorique globale, à un apport compris entre 20 et 25 %.

Où trouver des protéines ?

Les protéines sont présentes dans de nombreux aliments. On trouve des protéines d'origine animale dans la viande, le poisson, les fruits de mer, les œufs, la charcuterie, le lait et les produits laitiers. Les céréales complètes, le pain, les pâtes, les légumineuses, les légumes et fruits secs contiennent des protéines d'origine végétale. La plupart des protéines d'origine

animale contiennent les huit acides aminés essentiels que le corps ne peut synthétiser.
Il manque à certains produits riches en protéines d'origine végétale l'un des huit acides aminés essentiels. Les produits céréaliers (pâtes, pain, riz...), par exemple, ne contiennent pas de lysine. Les légumineuses (lentilles, haricots secs...) contiennent de la lysine mais pas de méthionine.
Dans le cadre d'une alimentation sans viande, il convient donc de combiner deux produits appartenant à chacune de ces catégories (par exemple des pâtes et des lentilles), pour apporter à son corps les huit acides aminés essentiels. L'idéal est de consommer, lors des repas, une petite part de produit d'origine animale (viande, poisson...) associée à une portion plus importante de céréales et (ou) de légumineuses, ainsi qu'un peu de légumes verts.

Déjeuner sur le pouce
Si vous devez déjeuner sur le pouce, préférez un sandwich pain (complet si possible), jambon (ou thon), salade verte au croque-monsieur ou à la part de quiche, généralement trop riches en lipides.

Les besoins de l'organisme en protéines

Contrairement aux glucides* et aux lipides*, les protéines ne peuvent être stockées. C'est pourquoi il convient de consommer chaque jour une quantité suffisante de protéines.
Les besoins de notre corps sont de l'ordre de 1 g par jour et par kilo de masse corporelle. Si l'apport est inférieur, l'organisme puise dans la masse maigre (muscles et organes) les protéines qui lui sont nécessaires.
Idéalement, l'apport quotidien en protéines devrait être de :
– 30 à 50 % de protéines d'origine végétale ;
– 50 à 70 % de protéines d'origine animale.
Il faut savoir, en effet, que la valeur nutritive des protéines d'origine végétale est inférieure à celle des protéines d'origine animale.

Les protéines sont constituées de petits éléments appelés acides aminés. Elles forment l'armature de l'organisme et ne peuvent être stockées. Certaines, telles les hormones, jouent un rôle dans le fonctionnement du corps humain.

Les glucides

Les glucides sont présents dans l'organisme sous forme de glucose, substance constituant une source d'énergie indispensable au bon fonctionnement du système musculaire et aux organes du corps.

Les édulcorants de synthèse
Leur goût sucré et leur très faible pouvoir énergétique leur permettent d'être consommés en remplacement du « vrai » sucre. La saccharine, longtemps sur le devant de la scène, a été détrônée par l'aspartam. Mais attention ! Comme le « vrai » sucre, il stimule – dans une moindre mesure – la sécrétion d'insuline. Il permet de limiter sa consommation de sucre (et l'apport calorique global), mais ne déshabitue pas du goût sucré.

Le rôle des glucides dans l'organisme

Les glucides* constituent les nutriments de l'énergie. Ils peuvent être stockés sous forme de glycogène dans les muscles et dans le foie. Le glycogène est ensuite transformé en glucose sous l'action d'une hormone, l'insuline. Il est important de consommer des glucides à chaque repas, pour que l'organisme n'ait pas à aller puiser, après épuisement des réserves, dans la masse grasse (les réserves de graisse) mais aussi, et ce qui n'est pas souhaitable, dans la masse maigre.

Sucres simples et sucres complexes

D'un point de vue biochimique, on distingue deux catégories de sucre :
– les sucres simples, divisés en deux groupes : les monosaccharides (glucose, fructose, galactose) et les disaccharides, combinaisons de plusieurs monosaccharides (saccharose, lactose, maltose) ;
– les sucres complexes (polysaccharides), constitués de chaînes de monosaccharides (l'amidon, le glycogène, la cellulose – non assimilables par l'organisme).
Avant, on croyait que tous les sucres simples étaient assimilés rapidement par l'organisme tandis que les sucres complexes demandaient un temps d'absorption plus long (d'où les appellations « sucres rapides », « sucres lents »). Aujourd'hui, on sait que ce n'est pas la composition biochimique qui fait la vitesse d'absorption. Cette notion peut être vérifiée en mesurant l'index glycémique d'un aliment.

L'index glycémique

La vitesse de digestion des glucides permet de déterminer leur index glycémique. Cette vitesse peut être mesurée en effectuant des prélèvements sanguins. Un index glycémique élevé signifie que les sucres contenus dans les aliments passent rapidement dans le sang (glucides rapides). En outre, une consommation excessive de ce type d'aliments provoque des fringales, car elle stimule la sécrétion d'insuline, l'hormone qui abaisse la glycémie et stimule la faim. Un index glycémique faible (glucides lents) révèle qu'un aliment sera digéré lentement et calmera donc la faim de manière plus durable. De plus, les aliments riches en sucres à index glycémique faible contiennent généralement beaucoup de fibres alimentaires*, coupe-faim naturels et régulateurs du transit intestinal (*voir* pp. 30-31).

L'alcool
Provenant de la fermentation du glucose, il constitue un nutriment et dégage sept calories* par gramme. Les calories apportées par l'alcool sont aussitôt dégradées par le foie. Cet organe a également pour tâche de brûler l'énergie apportée par les lipides. Or, tandis qu'il dégrade l'alcool, le foie ne peut éliminer les lipides dont le stockage est ainsi favorisé.

Index glycémiques de quelques aliments

Aliment	Index glycémique
Glucides rapides	
carotte	133
pain complet ou blanc	100
Glucides mi-lents, mi rapides	
sucre de table	86
pomme de terre	81
spaghetti	64-66
Glucides lents	
lait, yaourt	50
poire, pomme	47-53
cerise, raisin, pamplemousse	32-36
fructose	29

D'après D.J.A. Jenkins, Lancet, 1981.

Les glucides apportent à l'organisme l'énergie nécessaire à l'effort. Ils peuvent être stockés un certain temps, ou transformés en tissu graisseux lorsqu'ils sont consommés en excès. La mesure de l'index glycémique permet de connaître la vitesse d'absorption des sucres dans le sang.

Où trouver des glucides ?

On trouve des glucides dans la plupart des aliments au goût sucré ou moins sucré :
- sucre, confiseries, sodas ;
- légumes, fruits ;
- produits laitiers (sauf le fromage) ;
- céréales, légumes secs, pâtes, pain.

Les lipides

Les lipides, ou graisses, ont actuellement mauvaise presse. Il est vrai que, consommés en excès, ils favorisent la prise de poids et l'apparition de certaines maladies. Mais ils restent malgré tout indispensables au fonctionnement harmonieux de l'organisme.

Le rôle des lipides

Les lipides* jouent de nombreux rôles au sein de notre corps : ils le pourvoient en énergie, représentent l'un des constituants de certaines structures (la membrane des cellules est constituée de lipides), interviennent dans la fabrication de substances telles que les hormones, et assurent le transport des vitamines* liposolubles (A, D, E, K).

Le tissu adipeux

Constitué de cellules appelées adipocytes, véritables petits réservoirs de graisse, le tissu adipeux permet de stocker l'énergie. Il représente environ 15 % du poids d'un homme adulte en bonne santé.
Chez l'homme, il est plutôt localisé sur le haut du corps : ventre, poitrine, épaules, bras. Chez la femme, le tissu graisseux se place habituellement sur les cuisses, les fesses et les hanches. C'est pourquoi l'embonpoint relatif à la partie supérieure du corps est dénommé « obésité* androïde » et celui de la partie inférieure « obésité gynoïde ».

Les différentes catégories de lipides

– Les acides gras (*voir* pp. 28-29).
– Les triglycérides, qui constituent le « moyen de transport » des acides gras qui, incapables de migrer sous forme libre, circulent trois par trois (d'où le terme triglycérides).
– Le cholestérol : fabriqué par le foie, il constitue les membranes cellulaires et intervient dans des

métabolismes fondamentaux. Certaines personnes ont un taux de cholestérol trop élevé parce que leur organisme en fabrique en excès. On pallie cette anomalie par un traitement médicamenteux adapté. D'autres consomment trop d'aliments riches en cholestérol et doivent modifier leur mode d'alimentation en diminuant leur consommation de jaune d'œuf, viandes grasses, charcuterie, beurre, crème fraîche, fromage, qui en sont riches.

Bon et mauvais cholestérol
Le « bon cholestérol » (HDL), acheminé vers le foie où il est dégradé, joue un rôle de protecteur des artères.
Le « mauvais cholestérol » (LDL) peut, sous l'influence de facteurs divers, se déposer sur la paroi des artères : c'est l'artériosclérose.

Quels lipides consommer ?

Pour rester en bonne santé, mieux vaut consommer des aliments riches en acides gras poly et mono-insaturés et limiter sa consommation d'aliments riches en lipides saturés – sans les supprimer totalement car ils sont également riches en protéines* animales de bonne qualité.

Les lipides constituent un nutriment énergétique puisqu'ils dégagent 9 calories par gramme. Il est important de se méfier des lipides cachés dans les viandes, charcuterie, aliments tout préparés (« *junk food** ») tels que les produits surgelés (quiches, tartes aux fromage, biscuits apéritifs), et de privilégier la consommation de poisson et de légumes crus ou cuits assaisonnés à l'huile végétale (tournesol, olive, pépin de raisin, colza).

Les lipides, ou graisses, constituent un nutriment énergétique pouvant être stocké (comme les glucides* après transformation par l'organisme) en tissu adipeux. Pour rester en bonne santé, il convient de privilégier la consommation de lipides d'origine végétale (huiles) et de limiter sa consommation de lipides d'origine animale.

L'eau

L'eau constitue environ 60 % du poids total du corps. Elle est présente en grande quantité dans les muscles, les organes, les cellules, les tissus, et en moindre quantité dans la masse grasse.

L'eau : un rôle indispensable

L'eau est indispensable à la vie : on ne peut survivre plus de cinq jours sans boire. Il est nécessaire de maintenir en permanence l'hydratation au sein de l'organisme. La soif est un signal auquel il faut répondre pour éviter la déshydratation et ses conséquences. Les déperditions hydriques quotidiennes étant très importantes, il convient de boire environ 1,5 litre d'eau par jour. L'eau peut être remplacée par des tisanes, du thé ou du café (attention cependant aux effets de la caféine), des jus de fruits. Mieux vaut consommer avec modération les sodas – trop sucrés – et l'alcool.

Le rôle essentiel de l'eau est de véhiculer les éléments vitaux indispensables à l'organisme et de drainer les toxines. Elle joue également un rôle dans le phénomène d'autorégulation de la température du corps.

Quand boire ?
On conseillait autrefois d'éviter de boire au cours du repas, car l'eau dilue le bol alimentaire, diminuant la sensation de satiété. Résultat, on risque de manger davantage. Aujourd'hui, il est recommandé de boire régulièrement tout au long de la journée, y compris pendant les repas. Les nutritionnistes conseillent de boire le matin au réveil pour faciliter l'élimination des déchets et les échanges cellulaires.

Les différentes eaux

– L'eau du robinet : sa composition est contrôlée régulièrement par les pouvoirs publics. Sa teneur en sels minéraux*, oligo-éléments*, mais également en nitrates, varie selon les villes et les régions. Son avantage est d'être très économique. Son inconvénient réside dans sa composition qui n'est pas stable.

– L'eau de source : elle doit être naturellement potable, c'est-à-dire n'avoir à subir aucun traitement pour être consommée. Embouteillée à la source, elle fait l'objet de contrôles sérieux et réguliers. On ne peut lui prêter de vertus thérapeutiques, contrairement aux eaux minérales. Seule la mention « convient pour le coupage des biberons » peut être apposée sur l'étiquette.

– L'eau minérale : ses vertus thérapeutiques ont été

reconnues par l'Académie de médecine. Les eaux minérales, à l'exception des eaux très minéralisées – réservées aux soins thermaux – sont en vente libre en France. Certaines eaux minérales sont plutôt riches en magnésium, d'autres en calcium, d'autres en sodium et peuvent donc être consommées pour pallier ou éviter des carences (*voir* tableau ci-après).

La rétention hydrosodée
Certaines femmes constatent, avant les règles, une prise de poids pouvant aller jusqu'à 3 kg. La rétention hydrosodée (eau + sel) est liée à la modification de la sécrétion hormonale durant la deuxième moitié du cycle. Il convient de continuer à boire suffisamment pour éliminer les déchets et d'éviter le grignotage.

Principales eaux minérales en vente ainsi que leur teneur en calcium, magnésium, sodium et leurs propriétés

Eau minérale	Teneur en calcium (mg/l)	Teneur en magnésium (mg/l)/	Teneur en sodium (mg/l)	Propriétés
Badoit	200	100	171	digestion, prophylaxie de la carie dentaire, consolidation osseuse
Contrex	467	84	7	élimination des déchets
Évian	78	24	5	élimination des déchets, digestion, coupage des biberons
Hépar	555	110	14	fatigue, irritabilité
Perrier	14,5	3	14	digestion
Plancoet	56	10,5	24	digestion
Quézac	252	100	255	digestion, déficits calciques et magnésiques
Salvetat	295	15	7	consolidation osseuse, croissance
San Pellegrino	206	58	41	digestion
Thonon	103	16	5	digestion, coupage des biberons, élimination
Valvert	67	2	2	coupage des biberons
Vichy Célestins	90	9	1 265	prévention de la déshydratation, digestion
Vichy St Yorre	78	9	1 744	prévention de la déshydratation
Vittel	202	36	3,8	prévention des calculs rénaux
Volvic	10	6	9,5	coupage des biberons, hydratation de la femme enceinte, élimination

L'eau ne contient pas de calories : elle ne constitue donc pas un nutriment énergétique. Toutefois, elle permet les échanges intercellulaires et l'élimination des déchets. Il convient de boire environ 1,5 litre d'eau par jour.

Les vitamines

Elles sont naturellement présentes dans l'alimentation et sont indispensables au bon fonctionnement de l'organisme.

Découverte des vitamines
– En 1897, le médecin néerlandais Christiaan Eijkman (1858-1930), prix Nobel de médecine en 1929, remarque la fréquence des cas de béribéri, une maladie nerveuse, chez les Orientaux, qui se nourrissent principalement de riz décortiqué.
– En 1914, le biochimiste américain Casimir Funk (1884-1967) met en évidence une substance qu'il baptise vitamine, ou amine vitale, ensuite rebaptisée vitamine B1.
– En 1913, E. McCollum et T. B. Osbone, deux Américains, découvrent la vitamine A. Les vitamines D, C, et E seront isolées dans les années 1920.
– En 1933-1934, l'existence et le rôle des vitamines K, B2 et B5 seront mis en évidence.

Classification des vitamines

Les vitamines* sont au nombre de treize. On peut les classer en deux catégories :
– les vitamines liposolubles, c'est-à-dire solubles dans les lipides* : A, D, E, K ;
– les vitamines hydrosolubles (solubles dans l'eau) : vitamines du groupe B, PP, C. Pour sauvegarder ces vitamines, il est conseillé d'éviter le contact prolongé de certains aliments avec l'eau.

Les carences vitaminiques

Elles sont relativement rares dans nos pays industrialisés. Cependant, les individus ayant une alimentation déséquilibrée en excluant, par exemple, un groupe d'aliments (laitages, fruits...), ou ceux qui suivent un régime* amincissant, s'exposent à des carences. En effet, plus la ration calorique journalière globale est basse, plus l'individu est menacé.
Une enquête, menée dans le Val-de-Marne par l'Inserm et l'Institut scientifique et technique de l'alimentation en 1988 sur une population en bonne santé et bien nourrie, a révélé que 20 % des sujets présentaient, par rapport aux apports journaliers recommandés, une déficience pour deux vitamines, et 15 % pour trois vitamines (*voir* tableau ci-après). Toute personne suivant un régime alimentaire doit en aviser son médecin qui prescrira, le cas échéant, une supplémentation vitaminique. En outre, l'enquête internationale « Monica », mise en place par l'OMS en 1987 sur treize populations de différents pays, a mis en évidence le fait que les individus ayant un apport quotidien important et un taux sanguin élevé en vitamines C, E, et en bêta-carotène, présentaient moins de risques de développer des maladies coronariennes.

Les vitamines, leurs principales sources, leurs propriétés et l'apport journalier recommandé

Vitamines	Sources	Propriétés	Apport journalier recommandé en mg
A	laitages, huile de foie de poisson, jaune d'œuf, foie, légumes (bêta-carotène ou provitamine A)	acuité de la vision, qualité de la peau et des muqueuses, résistance aux infections, reproduction, croissance, métabolisme des os, lutte contre les maladies cardio-vasculaires (bêta-carotène)	1,5
D	poissons, huile de foie de poisson, volailles, foie, œufs, beurre, laitages,	croissance, tonus musculaire	0,025
E	céréales complètes, huiles végétales, beurre, margarine	anti-oxydant, anti-vieillissement, anti-cancer, lutte contre les maladies cardio-vasculaires	20
K	poisson, œufs, foie, légumes verts, céréales	coagulation sanguine, calcification	4
C	kiwi, agrumes, cassis, fraise, pomme de terre, épinards, cresson, chou	anti-infectieux, absorption du fer, synthèse des hormones, métabolisme des glucides, lutte contre les maladies cardio-vasculaires	75
B1	céréales complètes, légumes et fruits secs, levure de bière, asperges, choux, abats, porc, jaune d'œuf	fonctionnement des cellules nerveuses et du cœur, métabolisme des glucides*	2
B2	céréales complètes, viande, abats, laitages, œufs, brocolis, épinards, levure de bière	métabolisme des glucides*, lipides et protéines*	2
B3 ou PP	foie, lapin, volailles, porc, poissons gras, céréales complètes, légumes secs, levure de bière	fabrication et dégradation des protéines, lipides et glucides	20
B5	viande, abats, œufs, champignons, avocats, cacahuètes, levure de bière	synthèse des acides gras, production d'énergie à partir des lipides et des glucides	7 à 20
B6	poulet, foie, œufs, poisson, céréales complètes, fruits secs, chou, épinards, pommes de terre	métabolisme des protéines glucides et lipides, biosynthèse de la sérotonine	2
B8	abats, jaunes d'œufs, laitages, flocons de blé et d'avoine, levure, légumes secs, fruits secs	synthèse du glucose et des acides gras	0,1
B9	viande, abats, œufs, poisson, céréales complètes, légumes verts, bananes, tomates, levure de bière	biosynthèse des acides nucléiques et des protéines, action au niveau des globules rouges	15
B12	viande, abats, œufs, laitages, poisson	fonctionnement des cellules nerveuses, métabolisme des protéines et acides nucléiques, action au niveau des globules rouges	2

Vitamines : trouver le juste milieu

Un déficit en vitamine C peut provoquer le scorbut, qui entraîne des hémorragies cutanées des muqueuses et du tissu conjonctif sous-cutané. En revanche, une consommation excessive peut générer des calculs rénaux et des troubles digestifs. Une carence en vitamine A peut entraîner des troubles de la vision. Un surdosage entraîne des troubles cutanés, des maux de tête, et parfois une cirrhose du foie.

Découvertes il y a moins d'un siècle, les vitamines sont des micronutriments* que l'on trouve dans l'alimentation quotidienne et qui ne contiennent aucune calorie. Mieux vaut adopter une alimentation équilibrée afin d'éviter les carences.

Les sels minéraux et les oligo-éléments

Présents en petites quantités dans notre organisme, les sels minéraux et oligo-éléments sont des substances nécessaires à l'équilibre général du corps.

Sels minéraux, oligo-éléments : quelle différence ?

Les sels minéraux* sont présents en plus grandes quantités que les oligo-éléments, présents à l'état de traces, dans l'organisme. Ces substances constitueraient 4 % du poids total d'un adulte en bonne santé. Les principaux sels minéraux sont le calcium, le magnésium, le phosphore, le potassium, le sodium, le soufre. Les principaux oligo-éléments sont le chrome, le cobalt, le cuivre, le fer, le fluor, l'iode, le manganèse, le molybdène, le sélénium, le silicium, le vanadium, le zinc.

Leur rôle

Chaque substance détient des propriétés différentes (*voir* tableau ci-après). En règle générale, les sels minéraux participent au métabolisme et à la structuration des cellules. Mais ils sont également nécessaires à la transformation de la matière première (les aliments ingérés) en éléments assimilables et déchets. Un déficit en sels minéraux ou oligo-éléments peut entraîner des troubles divers. Par exemple, une carence en fer provoquera une anémie, tandis qu'un déficit en magnésium pourra engendrer une hyperexcitabilité musculaire ou une spasmophilie.

L'oligothérapie

L'oligothérapie est une médecine visant à prévenir l'apparition des maladies auxquelles l'individu est prédisposé, par l'absorption de quantités infimes d'oligo-éléments. Elle est enseignée en France dans certaines universités de médecine.

Sels minéraux et oligo-éléments	Sources	Propriétés	Apport journalier recommandé en mg
Calcium	lait, laitages	constitution des os et des dents, coagulation sanguine, régulation du système nerveux et du rythme cardiaque	enfant : 600 à 900 selon l'âge adulte : 800 adolescent, femme enceinte : 1 000 femme allaitante : 1 200 femme ménopausée, personne âgé : 1 000 à 1 400
Magnésium	céréales complètes, légumes et fruits secs, légumes verts, agrumes, pommes, chocolat, poisson	équilibre nerveux et musculaire, contraction du cœur	350
Phosphore	laitages, œufs, viandes, poisson, légumes et fruits secs	constitution des os, production d'énergie disponible pour les cellules	1 000
Potassium	levure, vin, légumes et fruits secs, fruits et légumes, viandes, poissons	contraction des muscles et du cœur, transmission de l'influx nerveux	4 à 6 000
Sodium	sel, charcuterie, fromage, conserves	répartition de l'eau dans l'organisme	1 000 à 5 000
Soufre	aliments riches en protéines, ail, oignon	composition de la structure des protéines	850
Chrome	céréales complètes, fruits de mer, viandes, abats, jaune d'œuf, levure, thym, poivre, sucre roux	métabolisme des glucides*, lipides*, protéines*	0,05 à 0,2
Cobalt	végétaux à feuilles, céréales complètes, légumes secs, jaune d'œuf	métabolisme des protéines	0,13 µg (0,0013)
Cuivre	céréales complètes, levure sèche, germe et son de blé, légumes verts, fruits de mer, foie, noix, prunes	systèmes enzymatiques, combat le stress	2 à 3
Fer	abats, boudin noir, viandes, œufs, poisson, légumes et fruits secs, légumes verts à feuilles	formation de l'hémoglobine et de la myoglobine, activité enzymatiques	10 à 20
Fluor	eau minérale, du robinet, sel fluoré	prévention de la carie dentaire	1
Iode	sel, algues, fruits de mer, poisson, viandes, légumes verts, navet, oignon, radis	synthèse des hormones thyroïdiennes	0,10 à 0,12
Manganèse	céréales complètes, légumes verts et secs, thé, noix, gingembre, clous de girofle	croissance, élévation de la sécrétion d'insuline, utilisation du glucose par les cellules	entre 4 et 20
Molybdène	céréales complètes, légumes secs, soja, œuf	activité enzymatique	0,1
Sélénium	céréales complètes, germe de blé, levure de bière, viandes, œufs, abats, oignon, ail, chou	Lutte contre les radicaux libres, le vieillissement, protection des membranes cellulaires, défenses immunitaires, coagulation du sang	1 µg
Silicium	céréales complètes, bière, betterave et canne à sucre	croissance osseuse, formation des cartilages	20 à 30
Vanadium	riz, poivre, graisses végétales, épinards, thon, foie de bœuf, vin, bière	activité enzymatique, transport du calcium, sodium et potassium	0,018 à 0,025 (18 à 25 µg)
Zinc	fruits de mer, poisson, foie, agneau, viande rouge, céréales, légumes secs	synthèse des protéines, utilisation des glucides renouvellement des cellules, cicatrisation anti-radicaux libres	10 à 15

Principaux oligo-éléments et sels minéraux, leurs sources, propriétés et apports journaliers recommandés

Les sels minéraux et oligo-éléments interviennent dans la plupart des réactions biochimiques. Ils sont présents naturellement dans l'alimentation ; une supplémentation (complément) est parfois conseillée à titre préventif ou curatif.

Les Acides gras et les acides aminés

Les acides gras et acides aminés sont des micronutriments* présents dans l'alimentation au même titre que les vitamines*, les sels minéraux* et les oligo-élements.

Le rôle de quelques acides aminés
La lysine, présente dans les protéines d'origine animale, joue un rôle important dans l'assimilation des lipides et dans la croissance. La valine, la leucine et l'isoleucine entrent en jeu dans la construction du système musculaire. La phénylalanine, présente dans le blé, les œufs, le soja, le tryptophane et la méthionine, que l'on trouve dans l'ail, l'oignon et les haricots, mais qui se fait rare dans les légumineuses et dans le lait, jouent un rôle dans la fabrication des neurotransmetteurs.

Les acides gras

On les trouve dans les aliments contenant des lipides* : huile, beurre, crème, fromage... mais aussi bœuf, poulet, poisson, jaune d'œuf... Leur rôle est fondamental car ils entrent dans la composition des membranes cellulaires, interviennent dans des métabolismes fondamentaux, agissent sur l'immunité et constituent une précieuse réserve d'énergie.

Les acides gras peuvent être classifiés en trois catégories :

– les acides gras saturés : présents dans le jaune d'œuf, les viandes grasses, la charcuterie, le fromage, le beurre, la crème, la noix de coco, l'avocat, ils sont à consommer avec modération car ils élèvent le taux de cholestérol sanguin, favorisant l'artériosclérose ;

– les acides gras poly-insaturés : ils contiennent les acides gras essentiels, que le corps ne peut fabriquer (l'acide linoléique et alpha-linoléique). C'est pourquoi

leur consommation ne doit pas être négligée, même dans le cadre d'un régime* amincissant. On les trouve dans les huiles végétales (tournesol, maïs, soja, pépin de raisin, mais aussi olive, colza et arachide), les coquillages et crustacés, les poissons gras. Ils ont la faculté d'abaisser le taux global de cholestérol, que ce soit le « bon » (HDL) ou le « mauvais » (LDL). Mais attention, ils sont vulnérables à la lumière et se dégradent facilement. Idéalement, il convient de consommer de 9 à 12 g d'acide linoléique et de 1,5 à 3 g d'acide alpha-linoléique par jour pour pourvoir aux besoins de l'organisme en acides gras essentiels ;
– les acides gras mono-insaturés : même si l'organisme est capable de les synthétiser, une consommation quotidienne raisonnable est conseillée en raison de leur capacité à réduire le taux de mauvais cholestérol sans modifier le « bon ». On les trouve dans les huiles végétales telles que le colza, l'olive et l'arachide, mais également dans la graisse d'oie et de canard, les œufs, et certains poissons gras.

***Page de gauche* : assortiment de céréales (acides aminés).**

Les acides aminés

Chaque molécule (petite unité d'un corps chimique) est constituée de plusieurs acides aminés qui, en se combinant entre eux, forment les protéines*. Il existe vingt acides aminés, dont huit ne peuvent être synthétisés par l'organisme humain et doivent donc obligatoirement être apportés par l'alimentation.
Il s'agit de la valine, la leucine, l'isoleucine, la lysine, la thréonine, la méthionine, la phénylalanine et le tryptophane.
Si l'un de ces huit acides aminés essentiels vient à manquer, il y a carence et des troubles peuvent survenir. C'est pourquoi il faudra veiller à consommer quotidiennement des aliments riches en protéines de bonne qualité. Les viandes, poissons, œufs, contiennent généralement tous les acides aminés essentiels. Les céréales complètes sont riches en acides aminés, mais aucune ne contient de lysine, tandis que les légumineuses sont exemptes de méthionine.

Il faut consommer quotidiennement des acides gras essentiels (AGE) que le corps ne peut fabriquer. Les acides aminés essentiels, qui doivent également être apportés par l'alimentation, sont présents dans la plupart des produits d'origine animale.

Les fibres alimentaires

Autrefois considérées comme de simples « aliments de lest », les fibres alimentaires détiennent en réalité de nombreuses propriétés. Pour cette raison, elles doivent figurer en quantité raisonnable dans l'alimentation quotidienne.

Définition
Les fibres alimentaires sont des glucides naturels appelés polyosides, formés par la condensation de plusieurs sucres simples. Présentes dans la paroi des cellules végétales, dont elles constituent l'armature, elles sont peu, ou pas, digérées par les enzymes digestives et sont rejetées dans les selles.

Une consommation insuffisante
Les apports quotidiens recommandés se situent entre 30 et 40 g de fibres par jour, alors que la consommation moyenne des populations industrialisées n'atteint que 15 à 20 g de fibres par jour. Il convient de modifier ses habitudes alimentaires en ajoutant, par exemple, un fruit à chaque repas et en remplaçant le pain blanc par du pain complet.

Les fibres solubles dans l'eau

Au contact de l'eau, les fibres alimentaires* forment une pâte gélatineuse qui, s'étalant sur les parois des intestins, ralentit la vidange gastrique. Elles sont utilisées dans l'industrie alimentaire, comme épaississant ou gélifiant (telle la gomme de guar). Les pectines, les gommes, les alginates, le psyllium, le son d'avoine sont des fibres solubles dans l'eau.

Ces fibres sont nombreuses et ont un rôle positif sur l'état de santé général :
– régulation de l'absorption des nutriments ;
– action hypoglycémiante (faisant baisser le taux de sucre dans le sang) ;
– diminution du taux de cholestérol sanguin ;
– action sur les acides biliaires ;
– sensation de satiété.

Les fibres insolubles

Constituant la partie fibreuse des végétaux, et présentes en grande proportion dans les céréales – notamment les céréales complètes – elles ont la faculté de se gorger d'eau (un peu comme une éponge) et non de former un gel comme les fibres solubles. La cellulose, l'hémicellulose et la lignine sont des fibres insolubles dans l'eau. Les fibres insolubles interviennent particulièrement sur la qualité du transit :
– éboueurs des parois de l'intestin, elles drainent, par exemple, le cholestérol en excès et le rejettent dans les selles ;
– elles augmentent le volume du bol alimentaire et des matières fécales ;

– elles diminuent le temps de transit et ainsi les pressions des substances toxiques contre les parois intestinales.

L'utilité des fibres alimentaires

– Prévention du cancer du côlon : des études ont démontré que le cancer du côlon était moins fréquent chez les gros consommateurs de fibres alimentaires. Ce phénomène serait dû au fait que les substances cancérigènes se trouveraient moins longtemps en contact avec les parois du côlon.
– Constipation : les fibres alimentaires jouent un rôle d'élément régulateur du transit intestinal, car elles augmentent et ramollissent le bol fécal. Les crises hémorroïdaires, qui sont souvent le corollaire de la constipation, disparaissent généralement. Pour améliorer la qualité du transit, une consommation progressive et régulière de son de blé est préconisée.
– Baisse du taux de cholestérol sanguin : l'apport de fibres alimentaires dans l'alimentation fait baisser le taux de cholestérol sanguin, notamment du « mauvais cholestérol » (LDL). Elles « emprisonnent » les graisses, retardant leur assimilation ou facilitant leur élimination. D'autre part, elles exercent une action sur les sels biliaires, que l'organisme humain utilise pour fabriquer du cholestérol. Le corps puise alors dans ses propres réserves de cholestérol pour synthétiser les sels biliaires dont il a besoin.
– Stabilisation du taux de diabète sanguin : elles ont une action bénéfique sur la stabilisation du taux de diabète et modifient le pic glycémique postprandial, en retardant l'absorption des glucides*. Elles préviennent également l'obésité*, qui est souvent le corollaire de cette pathologie.
– Lutte contre le surpoids : la consommation de fibres alimentaires permet de garder un bon transit, de retarder l'absorption des glucides et des lipides*, de fournir un effort de mastication (à temps égal, on mange donc moins), et de provoquer la satiété en se gorgeant d'eau.

Les aliments riches en fibres
– Flageolets secs : 25,5 g/100g
– Soja (haricot mungo) : 25 g/100 g
– Pois cassés secs : 23,5 g/100 g
– Pois chiches secs : 23 g/100 g
– Figues : 18,3 g/100 g
– Pruneaux : 17 g/100 g
– Amandes : 14,3 g/100 g
– Pain complet : 8,5 g/100 g
– Framboises : 7,4 g/100 g
– Groseilles : 6,8 g/100 g
– Épinards : 6,2 g/100 g

Il existe deux catégories de fibres alimentaires : les fibres solubles et les fibres insolubles dans l'eau. Leur consommation régulière contribue à maintenir un poids et un état de santé satisfaisants.

Pourquoi et comment grossit-on ?

Tout le monde ne grossit pas pour les mêmes raisons.

Certaines personnes ont toujours été fortes, d'autres le sont devenues avec le temps ou à cause d'un événement marquant.

Importance de l'alimentation

Autrefois, l'alimentation était essentiellement composée de pain, céréales, légumes, fruits, et d'un peu de viande. L'équilibre alimentaire était respecté. Aujourd'hui, nous consommons trop de glucides* rapides et de lipides* au détriment des glucides lents et des protéines*.

Nos besoins journaliers en lipides sont de l'ordre de 25 à 30 % de l'apport énergétique global. Or, ils côtoient souvent les 40, voire les 50 %. La nourriture toute préparée (cheeseburgers, quiches, tartes aux fromages, biscuits apéritifs, viennoiseries, barres chocolatées...) est riche en lipides saturés qui, outre leur valeur calorique élevée, jouent un rôle dans l'apparition des maladies cardio-vasculaires. Une alimentation déséquilibrée conduit, à la longue, au surpoids et à l'apparition de pathologies plus ou moins lourdes.

Les risques liés au surpoids
Le surpoids peut engendrer des troubles plus ou moins sérieux :
– troubles cardio-vasculaires (hypertension, varices, embolies) ;
– troubles du métabolisme (diabète, cholestérol) ;
– troubles respiratoires ;
– troubles digestifs ;
– cancers ;
– troubles gynécologiques (irrégularité ou arrêt des règles, stérilité...).

La sédentarité

La plupart des personnes qui présentent un surpoids ont un mode de vie sédentaire. De nombreuses activités professionnelles ne permettent pas de brûler l'énergie apportée par des repas généralement déséquilibrés : travail de bureau (position assise), vente (station debout prolongée, piétinements), représentation (longs trajets en voiture)... L'arrêt progressif ou plus brutal du sport est également un facteur d'apparition de surpoids si la personne continue de s'alimenter comme avant. Toute baisse d'activité physique doit s'accompagner d'une baisse des entrées énergétiques. Il est possible d'augmenter ses dépenses énergétiques en pratiquant des activités physiques simples : se rendre au travail à pied plutôt qu'en bus, bouder les ascenseurs...

Facteurs héréditaires et psychologiques

De nombreuses études ont prouvé que la prédisposition à l'obésité était transmise par les gènes. C'est pourquoi certaines personnes prédisposées génétiquement à l'obésité ont plus de difficultés que les autres à maigrir et à rester minces. Chacun a eu l'occasion de côtoyer des familles où les personnes sont plutôt corpulentes, et des familles où elles sont plutôt minces (*voir* brève ci-contre).
La dépression, l'ennui, le stress peuvent conduire à manger mal et davantage. Des événements comme le deuil, la perte d'un emploi, le divorce... peuvent également conduire à adopter une alimentation déséquilibrée.
En cas de comportement alimentaire anarchique, il convient de consulter afin de se faire aider (*voir* pp. 52 à 55).

Grossesse et prise de certains médicaments

Les médecins recommandent de ne prendre qu'1 kg par mois au cours de la grossesse. Or, nombreuses sont les femmes qui prennent 15 ou 20 kg, qu'elles ont ensuite du mal à reperdre. Sans pour autant s'astreindre à un régime* strict, la femme enceinte veillera à ne pas prendre plus de 10 kg si elle souhaite retrouver rapidement et de manière durable son poids de forme.
Certains médicaments favorisent également la prise de poids : cortisone (utilisée pour lutter contre les effets des allergies), antidépresseurs tricycliques (troubles psychologiques, anxiété), benzodiazépines, neuroleptiques, œstrogènes, progestatifs (contraceptifs oraux)... Au moindre doute, plutôt que d'arrêter le traitement, il convient d'en parler à son médecin.

L'hérédité chez les jumeaux
Une étude, réalisée en 1990 par le chercheur américain Albert J. Stunkart, sur 677 paires de jumeaux – vrais et faux (les vrais jumeaux ont les mêmes gênes, alors que les faux jumeaux n'ont en commun qu'une partie de leur hérédité) – tend à confirmer l'importance du facteur héréditaire : les membres de certains couples de ces 677 paires de jumeaux avaient été séparés dès l'enfance. Mais qu'ils soient élevés au sein de la même famille ou adoptés par deux familles différentes, les deux vrais jumeaux présentaient un poids quasiment identique.

La prise de poids est généralement dûe à plusieurs facteurs : mauvaise hygiène de vie, hérédité, troubles psychologiques... Certaines maladies et médicaments peuvent également engendrer un surpoids.

Qui est gros ?

La pression de la société et parfois de l'entourage familial poussent de nombreux sujets à lutter contre un surpoids considéré par le corps médical comme inexistant.

Le corps de la femme à travers les âges

Chaque époque a imposé ses propres critères de beauté. La femme préhistorique se devait d'être très enveloppée pour faire face aux éventuelles famines, mener à bien les grossesses et l'allaitement des petits. Il ne s'agissait pas alors de beauté, mais de survie. Dans l'Antiquité, les Grecs et les Romains appréciaient les femmes aux formes pleines et harmonieuses. Les artistes du Moyen Âge représentaient des femmes au buste long, au ventre bombé, aux seins petits et hauts. La Renaissance vit le retour des formes pleines et grasses, jusqu'à l'époque de la Régence (XVIIIe siècle) où la femme fut de nouveau appréciée au regard de sa finesse, symbole d'élégance. Au XIXe siècle, les rondeurs reviennent à la mode jusqu'au début du XXe siècle où la silhouette « garçonne », fine et sans formes, devient l'idéal féminin.

Vers le milieu de notre siècle, les « pin-up » aux formes pleines et à la taille néanmoins fine font fureur. Elles sont détrônées par les lianes diaphanes des années 1970. Depuis le début des années 1980, le culte de la femme mince et musclée a fait son apparition. Même si certains magazines féminins annoncent un « retour des formes » (entendons des poitrines généreuses), les top modèles annoncent encore des mensurations et un poids très inférieurs à la moyenne des Occidentales.

Calcul du poids idéal
De nombreuses formules ont été mises au point pour calculer le poids idéal. Nous avons retenu la formule de Lorentz :
Poids = taille en cm - 100 - [(taille en cm - 150) : 4] pour les hommes
Poids = taille en cm - 100 - [(taille en cm - 150) : 2] pour les femmes
Soit, pour une femme mesurant 1,70 m :
Poids = 170 - 100 - [(170 - 150) : 2]
= 70 - (20 : 2)
= 70 - 10 = 60 kg.

Le culte de la minceur

Aujourd'hui, on associe la minceur à l'élégance, à la beauté, mais également à la réussite sociale et professionnelle. On a d'ailleurs pu observer plusieurs cas de licenciements pour cause de surpoids. La personne forte ne trouve plus sa place au sein de la société ; de nombreuses chaînes de boutiques en prêt-à-porter ne confectionnnent pas de vêtements au-dessus de la taille 46. Parallèlement, tout un marché de la minceur s'est mis en place : cosmétiques, produits parapharmaceutiques, centres d'amincissement, clubs de sports, mais également alimentation (produits « *light* », « naturellement pauvres en graisses »...).

Le poids des top modèles
Les mannequins et autres top modèles affichent un poids et un indice de masse corporelle bien inférieurs à ceux qui sont conseillés par les entités médicales. Pour exemple citons Kate Moss : 1,68 m, 44 kg = IMC de 15,58.

Poids et santé

En réalité, le poids d'un individu en bonne santé, médicalement parlant, n'a rien à voir avec celui qui est imposé par notre « société de la minceur ». Les compagnies d'assurances sur la vie ont déterminé la notion de poids idéal, c'est-à-dire du poids qui permet statistiquement une longévité maximale. On considère en effet qu'un poids normal est un gage de bonne santé, tandis qu'un poids élevé est un facteur d'apparition de certaines pathologies (*voir* brève pp. 32-33).
Pour évaluer sa corpulence, il faut calculer son indice de masse corporelle (IMC) en procédant de la manière suivante :

$$\frac{\textit{Poids (en kg)}}{\textit{taille (en mètres)}^2}$$

Exemple : pour une personne pesant 57 kg pour 1,62 m :

$$\frac{57}{1,62 \times 1,62} = \frac{57}{2,62}$$

soit : 21,75. L'indice de masse corporelle de cette personne est de 21,75 kg/m^2.
On considère qu'un indice de masse corporelle compris entre 18,5 et 25 kg/m^2 est normal. Inférieur, le sujet est trop maigre ; au-delà, il est trop gros et l'amincissement est souhaitable pour des raisons de santé. Une personne à l'indice corporel égal ou supérieur à 27 est dite obèse. Entre 30 et 40, voire davantage, les risques de voir apparaître des maladies liées à l'obésité* sont encore supérieurs.

Le calcul de l'indice de masse corporelle permet de déterminer si l'on est trop gros ou pas. La formule de Lorentz donne une idée approximative du poids idéal. Nombreuses sont les personnes qui, influencées par les critères de beauté actuels, se trouvent trop grosses.

Un régime efficace

Pour perdre du poids, il s'agit bien souvent de manger moins, mieux, et d'accroître son activité physique.

Le palmarès des régimes

Entre le régime* Atkins, trop riche en lipides*, le régime dissocié, socialement contraignant, le régime Scarsdale, carencé, et le programme Gesta, efficace mais difficile à suivre, les candidats à l'amincissement ne savent où donner... de la fourchette. En règle générale, mieux vaut fuir les régimes tapageurs, à la mode, et s'orienter plutôt vers un régime hypocalorique équilibré qui, même s'il n'est pas très médiatique, a fait ses preuves. Voici, à titre d'exemple, trois menus types à 1 200, 1 500 et 1 800 calories*.

Programme à 1 200 calories

Le programme à 1 200 calories est conseillé aux femmes sédentaires et dont l'alimentation quotidienne apporte habituellement environ 1 700 calories.

Petit déjeuner :
– 1 tasse de thé ou de café léger (ou infusion) sans sucre ou avec un édulcorant de synthèse (aspartam) ;
– 1 laitage maigre (fromage blanc (100 g), yaourt, ou 1 verre de lait écrémé) ;
– 1 tranche de pain complet avec une noisette de margarine ou de beurre allégé ;
– 1 fruit frais.

Déjeuner :
– 100 à 200 g de crudités au choix (carottes, concombres, salade verte, tomates, melon, radis, betteraves, fonds d'artichaut...) avec vinaigrette allégée ;
– 100 à 200 g de viande maigre ou poisson, ou 2 œufs (pas plus de 4 œufs/semaine) ;
– 100 à 200 g de légumes verts cuits (haricots verts, épinards, bettes, choux, chou-fleur, courgettes, poireaux, aubergines...) avec une petite noisette de margarine ou de beurre allégé ;
– 1 laitage maigre (yaourt, fromage blanc) ;
– 1 fruit ;
– 1 tranche de pain complet.

Dîner :
– 1 assiette de potage de légumes (légumes verts + lait écrémé) ;

Quand commencer ?
Mieux vaut débuter un régime à une période dénuée de stress et de changements (vie personnelle ou professionnelle). Réussir un régime demande de la volonté et de la persévérance. Pourquoi ne pas, par exemple, attendre les vacances ou une accalmie dans le tourbillon professionnel pour, parallèlement au régime, reprendre une activité physique ?

- 100 à 150 g de poisson ou viande maigre ;
- 100 à 200 g de légumes verts avec une noisette de margarine ou de beurre allégé ;
- 1 tranche de pain complet ;
- 1 petit fruit.

Important
On peut, dans la matinée et (ou) dans l'après-midi, consommer un yaourt maigre ou un fruit.
Il convient de boire de 1,5 à 2 l d'eau par jour.

Programme à 1 500 calories

Le programme à 1 500 calories est conseillé aux personnes plutôt sédentaires et dont l'alimentation quotidienne apporte habituellement environ 2 000 calories.

Petit déjeuner :
identique à celui à 1 200 calories.

Déjeuner :
identique à celui à 1 200 calories avec, en plus :
- 1 bol chinois de céréales (riz, maïs...), de légumineuses (lentilles, soja...) ou de pommes de terre.

Dîner :
identique à celui à 1 200 calories.

Programme à 1 800 calories

Le programme à 1 800 calories est conseillé aux femmes ayant une activité physique plutôt modérée, aux hommes sédentaires et dont l'alimentation quotidienne apporte habituellement environ 2 300 calories.

Petit déjeuner :
- 1 tasse de thé ou de café léger (ou infusion) sans sucre ou avec un édulcorant de synthèse (aspartam) ;
- 1 laitage (fromage blanc à 10 ou 20 % de matière grasse (100 g), yaourt nature ou aux fruits sans sucre, ou 1 verre de lait écrémé) ;
- 2 tranches de pain complet avec une noisette de margarine ou de beurre allégé et une cuillerée à café de confiture ou de compote ;
- 1 fruit frais.

Déjeuner :
identique à celui à 1 200 calories avec, en plus :
- 1 bol chinois de céréales (riz, maïs...), de légumineuses (lentilles, soja...) ou de pommes de terre avec une petite noisette de margarine ou de beurre allégé ;

Dîner :
identique à celui à 1 200 calories avec, en plus :
- 1 bol chinois de céréales (riz, maïs...), de légumineuses (lentilles, soja...) ou de pommes de terre avec une noisette de margarine ou de beurre allégé ;
- une petite portion de fromage (1/8e de camembert par exemple).

Ces trois programmes personnalisés (1 200, 1 500, 1 800 calories) permettent de perdre du poids en tenant compte de l'apport calorique antérieur et de l'activité physique de chacun.

La phase de stabilisation

Une fois l'amincissement obtenu, il faut songer à maintenir les résultats. La phase de stabilisation permet de réintroduire progressivement et sans excès les aliments qui ont été exclus durant la période de régime.

Pourquoi une période de stabilisation ?

L'échec d'un programme d'amincissement est généralement dû à la reprise trop rapide d'une alimentation « débridée ». On regagne ainsi rapidement le poids perdu avec, souvent, comme bonus, 1 ou 2 kg supplémentaires de masse grasse. L'organisme, en réaction aux privations, brûle moins d'énergie et stocke davantage de tissu adipeux. Pour être mince et le rester, il faut, après la période de régime*, conserver ses bonnes habitudes alimentaires :

– respecter la règle des 15/55/30 % (*voir* pp. 10-11) ;
– éviter les excès alimentaires ;
– surveiller son poids et réagir dès le premier kilo repris ;
– exercer une activité physique ;
– continuer à boire de 1,5 à 2 l d'eau par jour.

Une fois l'amincissement obtenu, il convient de suivre un programme de stabilisation personnalisé. Si, par exemple, le régime suivi était à 1 200 calories*, il faudra adopter le programme à 1 500 calories (*voir* pp. 36-37). Cette phase de stabilisation durera aussi longtemps que la période de régime elle-même. Une personne qui a suivi, pendant huit semaines, un programme à 1 500 calories devra adopter pour huit semaines un régime à 1 800 calories (*voir* pp. 36-37).

La phase de stabilisation à 2 200 calories

Elle est destinée aux personnes qui ont suivi le programme à 1 800 calories.

Éviter le grignotage
Beaucoup de personnes au régime se plaignent de suivre un régime sans résultat. En réalité, elles « grignotent », sans s'en rendre compte, des aliments non autorisés en dehors des repas (biscuits apéritifs, café sucré, friandises). Il est possible de morceler les repas en prenant, par exemple, le fruit prévu au repas du midi vers 15 heures et un autre petit fruit (ou un yaourt maigre) en guise de collation vers 17 heures.

Petit déjeuner :
– 1 tasse de thé ou de café léger (ou infusion), légèrement sucré (de 1/2 sucre à 1 sucre n° 4) ou avec un édulcorant de synthèse (aspartam) ;
– 1 laitage (fromage blanc à 20 % de matière grasse (100 g), yaourt nature ou aux fruits sans sucre, ou 1 verre de lait écrémé) ;
– 2 tranches de pain complet avec une noix de margarine ou de beurre allégé et une cuillerée à soupe de confiture ou de compote ;
– 1 fruit frais.

Déjeuner :
– 100 à 200 g de crudités au choix : carottes, concombres, salade verte, tomates, melon, radis, betteraves, fonds d'artichaut...) avec vinaigrette allégée ;
– 100 à 200 g de viande maigre ou poisson, ou 2 œufs (pas plus de 4 œufs/semaine) ;
– 100 à 200 g de légumes verts cuits (haricots verts, épinards, bettes, choux, chou-fleur, courgettes, poireaux, aubergines...) avec une petite noisette de margarine ou de beurre allégé ;
– 1 bol chinois de céréales (riz, maïs...), de légumineuses (lentilles, soja...) ou de pommes de terre avec une noix de margarine ou de beurre allégé ;
– 1 laitage (yaourt nature ou aux fruits, fromage blanc à 10 ou 20 % de matière grasse) ;
– 1 fruit ;
– 1 petite tranche de pain complet.

Dîner :
– 1 assiette de potage de légumes (légumes verts + lait écrémé, ou 2 cuillerées à soupe de crème fraîche) ;
– 100 à 150 g de poisson ou viande maigre ;
– 100 à 200 g de légumes verts avec une noix de margarine ou de beurre allégé ;
– 1 bol chinois de céréales (riz, maïs...), de légumineuses (lentilles, soja...) ou de pommes de terre avec une petite noisette de margarine ou de beurre allégé ;
– 1 tranche de pain complet ;
– une petite portion de fromage (1/8e de camembert par exemple) ;
– 1 fruit.

La phase de stabilisation est essentielle car elle permet de réintroduire progressivement des aliments écartés et d'augmenter les proportions. Réadopter une alimentation déséquilibrée, comme avant la période de régime, mène généralement à la reprise des kilos perdus.

L'activité physique et l'hygiène de vie

Le culte du corps svelte et musclé a propulsé le sport sur le devant de la scène. Outre ses effets positifs sur l'amincissement, l'activité physique, lorsqu'elle est pratiquée avec bon sens, a également un effet bénéfique sur l'état de santé général.

Faire du sport pour rester mince

Toute activité physique brûle de l'énergie. Lors de l'effort physique, l'organisme puise dans ses réserves de masse grasse l'énergie dont il a besoin. Certaines personnes perdent du poids rien qu'en reprenant une activité sportive. D'autres ont besoin, pour mincir, de compléter leur programme de remise en forme physique par un régime* alimentaire. L'intérêt du sport, en ce qui concerne l'amincissement, est surtout d'augmenter la quantité de masse maigre, au détriment de la masse grasse. L'entretien de la masse musculaire demande plus d'énergie, même lorsque le corps est au repos, que l'entretien du tissu adipeux. C'est pourquoi les personnes musclées brûlent, à poids égal, plus d'énergie que les personnes peu musclées.

La sédentarité
Les transports personnels ou en commun, le confort domestique, l'expansion de professions du secteur tertiaire et des emplois de bureau ont fait de la population contemporaine une population majoritairement sédentaire. Pour pallier aux inconvénients de la sédentarité, les Français sont de plus en plus nombreux à pratiquer régulièrement une activité sportive. En 1994, 48 % d'entre eux reconnaissaient pratiquer une activité sportive, contre 28 % en 1994. (Source : Enquête « sport et santé », réalisée par la société Eval en 1994.)

Quel sport choisir ?

Il convient avant tout de pratiquer le sport que vous aimez, sans quoi cet effort deviendra vite une corvée que vous tenterez d'éviter. L'idéal est de pratiquer des sports d'endurance « en aérobie » (marche, randonnée, cyclisme, natation, jogging) privilégiant l'intensité progressive et la durée. En outre, ces sports permettent un meilleur travail

du cœur que les sports brefs et intenses demandant un effort en « anaérobie » (football, basket, tennis...) qui, eux, augmentent la tension artérielle et demandent parfois au cœur un travail très important.
La natation est un sport très complet (tous les muscles du corps sont sollicités). En outre, l'eau exerce sur le corps une action de massage relaxante et raffermissante. La marche à pied est également à préconiser : elle peut se pratiquer n'importe où et en toute occasion.

Autres vertus du sport

La pratique régulière d'une activité sportive améliore l'état de santé général. Citons quelques exemples :
– abaissement de la fréquence cardiaque et de la tension artérielle au repos et durant l'effort, meilleur tonus cardiaque ;
– respiration plus ample, plus efficace ;
– meilleure résistance au stress, lutte contre l'angoisse ;
– meilleure perception de son image corporelle ;
– abaissement du taux de « mauvais » cholestérol (LDL) ;
– abaissement du taux de diabète sanguin, en favorisant la pénétration du sucre dans le tissu musculaire ;
– lutte contre l'ostéoporose (affection des os) ;
– meilleur équilibre, meilleure adresse.

Le sport pour tous

La pratique d'un sport est conseillée aux adultes comme aux enfants. Il est également recommandé aux personnes âgées de continuer à mener une activité sportive adaptée à leur âge (marche, vélo).
L'activité physique peut être conseillée, dans certains cas, aux personnes atteintes d'une maladie chronique ou aux convalescents. Ainsi, on sait aujourd'hui que la pratique d'un sport réduit de 25 % la mortalité chez les coronariens. Les sports d'endurance sont, dans ce cas, généralement préconisés. De même, la pratique d'une activité sportive chez les asthmatiques peut être conseillée, sous stricte surveillance médicale, pour élever la tolérance à l'effort physique.

Fréquence cardiaque et sport
Au cours de l'effort, il existe une fréquence cardiaque à ne pas dépasser. Elle dépend de l'âge. Il convient de ne pas dépasser 220 pulsations/min – âge en années. Ainsi, une personne de 30 ans ne devra pas voir sa fréquence cardiaque s'élever au-dessus de 190 pulsations/min (220 - 30).

La pratique d'une activité physique permet de perdre du poids et de rester mince et en bonne forme. Elle a également un effet bénéfique sur le muscle cardiaque et permet de réapprendre à connaître et à aimer son corps.

Les régimes particuliers

Pour des raisons strictes de santé, certaines personnes suivent un régime alimentaire spécifique, sur une courte période ou de manière définitive.

Les aliments déconseillés en cas d'hypercholestérolémie
Jaune d'œuf, abats, beurre, saindoux, crème fraîche, lait et produits laitiers entiers, fromages, huile de coco, cacao, viandes grasses, charcuterie, pâtisseries, gâteaux, viennoiseries, biscuits à base de matières grasses d'origine animale, plats en sauce non dégraissés, petits plats tout préparés, « *junk food », souvent riches en graisses saturées, frites et fritures, alcool (est autorisé un verre de bon vin rouge par repas).**

Le régime hypocholestérolémiant

Pour des raisons génétiques (hypercholestérolémie essentielle) ou exogènes (trop de cholestérol apporté par l'alimentation), le taux de cholestérol sanguin peut s'élever au-dessus de la norme, qui est, idéalement, de 2 g/l de sang à l'âge adulte. On tolère cependant un léger dépassement que l'on peut calculer de la manière suivante :

taux de cholestérol total = 2 + (âge en années : 100).

Soit, pour une personne de 30 ans :

2 + (30 : 100) = 2 + 0,3 = 2,30 g.

Mais une augmentation du taux de cholestérol global n'est pas toujours un facteur de risque d'apparition de maladies cardio-vasculaires. Si, parallèlement, le taux de « bon cholestérol » – qui a un rôle de protecteur des artères – est également élevé tandis que le taux de « mauvais cholestérol » reste bas, il n'y a pas lieu de s'inquiéter. Les médecins considèrent toujours le rapport HDL/LDL cholestérol avant d'imposer un régime* ou de traiter.

Normes en matière de cholestérolémie en fonction de l'âge et du sexe

Âge	Cholestérol total en g/l	LDL cholestérol g/l	HDL cholestérol g/l homme	HDL cholestérol g/l femme
0-19 ans	1,20-2,00	0,50-1,50	0,30-0,65	0,30-0,70
20-29 ans	1,20-2,20	0,60-1,50	0,35-0,70	0,35-0,70
30-39 ans	1,40-2,30	0,70-1,60	0,30-0,65	0,35-0,80
40-49 ans	1,50-2,40	0,80-1,70	0,30-0,65	0,40-0,95
50-59 ans	1,60-2,50	0,80-1,80	0,30-0,65	0,35-0,85

Bon et mauvais cholestérol
Pour se déplacer dans l'organisme via le sang, le cholestérol se lie à des protéines* qui deviennent des lipoprotéines. Il en existe différents groupes : les LDL (*low density proteins*, correspondant au « mauvais cholestérol ») et les HDL (*high density proteins*, ou « bon cholestérol »). Le cholestérol véhiculé par les LDL a tendance à se déposer dans les artères et à les endommager. Le cholestérol HDL est acheminé vers le foie où il est dégradé en grande partie.

Le régime des personnes diabétiques

Le diabète sucré correspond à une hyperglycémie chronique assortie de troubles plus ou moins graves. Cette maladie est dûe à une carence totale ou partielle de la sécrétion d'insuline (une hormone) par le pancréas. Un régime est généralement préconisé : la règle de base est de maintenir l'équilibre entre les sucres lents, permettant une libération progressive du glucose dans le sang, et les sucres rapides, fournissant rapidement le glucose nécessaire à l'organisme en cas de malaise. Le respect des horaires, des différents types d'aliments, de la quantité et de la qualité de la nourriture sont fondamentaux. Il est également recommandé de renoncer au tabac et à l'alcool et de pratiquer une activité sportive.

Le régime sans sel

Certaines pathologies nécessitent un régime pauvre en sel (moins de 2 g de sel/jour) ou sans sel (moins de 200 mg de sel/jour). Il peut être prescrit par le médecin en cas de certaines maladies rénales, d'hypertension artérielle, d'insuffisance cardiaque, ou de traitement par la cortisone.

Aliments interdits ou à éviter : sel de cuisine, pain (remplacer par du pain sans sel), charcuterie, conserves, plats tout préparés, fromages, beurre salé, poisson, pâtisseries, épinards, céleri...

Certaines maladies génétiques ou résultant d'une mauvaise hygiène de vie nécessitent le suivi d'un régime alimentaire plus ou moins strict, qui varie en fonction des pathologies.

Les professionnels de la nutrition

Le domaine de la nutrition et de l'amincissement possède ses spécialistes. Chacun possède son domaine de compétences et peut, selon sa formation, dépister d'éventuelles anomalies, prescrire un régime, des médicaments...

Le médecin généraliste

Le médecin généraliste connaît bien ses patients, leurs habitudes alimentaires, leurs antécédents. Il peut établir le bilan d'un surpoids, procéder à la rééducation alimentaire du malade qui, souvent, possède des idées fausses en matière de nutrition, et prescrire un régime* alimentaire adapté. Le médecin généraliste peut décider d'orienter le patient vers un médecin spécialisé.

Les médecins généralistes ont la possibilité de suivre, dans le cadre de la formation continue, un enseignement aboutissant sur l'obtention d'un diplôme universitaire (DU) en nutrition/diététique*. Cette formation s'effectue sur une ou plusieurs années dans certaines universités de médecine.

Le médecin nutritionniste
La spécialisation de « médecin-nutritionniste » n'est reconnue officiellement que depuis 1991. Les jeunes médecins ayant choisi de suivre cette formation ne seront pas opérationnels avant la fin de leurs études, d'ici quelques années.

Attention !
Certains médecins se disent « spécialistes en obésologie ». Or, la spécialisation « obésologue » n'est pas reconnue par l'ordre des médecins. Si certains sont sérieux, d'autres, peu scrupuleux, prescrivent des diurétiques, des anorexigènes (médicaments « coupe-faim »), ou encore des extraits thyroïdiens associés dans des gélules différentes, la loi interdisant de regrouper ces substances dans une seule et même gélule.

Le médecin endocrinologue

Après l'obtention de son doctorat en médecine, le médecin endocrinologue a suivi une formation spécifique en endocrinologie. Longtemps, les hormones ont été exagérément incriminées dans les problèmes d'obésité*. C'est pourquoi les endocrinologues, spécialistes des hormones et du métabolisme, sont devenus en quelque sorte les spécialistes de la prise de poids. Aujourd'hui, on sait que l'obésité est plus souvent due

à un gène, le « gène de l'obésité » – que l'on est en train de découvrir – qu'à un dérèglement hormonal. Des traitements lourds, à base d'extraits thyroïdiens par exemple, ont été prescrits pendant des années. Aujourd'hui que l'on connaît le danger de telles médications, ces prescriptions sont interdites, sauf en cas d'hypothyroïdie (la glande thyroïde ne fonctionne pas assez).
Le médecin endocrinologue surveille l'évolution d'un régime, contrôle la perte de poids, reste à l'écoute. Il peut également préconiser une diète protidique (l'obèse se nourrit, pendant une période prédéfinie par le médecin, uniquement de protéines* – il élimine la masse grasse sans entamer la masse maigre).

La diététicienne

La diététicienne possède un diplôme d'État (BTS ou DUT). De nombreuses diététiciennes se définissent elles-mêmes comme des techniciennes de la nutrition. Après avoir établi une enquête alimentaire auprès du consultant (ce qu'il mange, quand, comment...) et avoir noté ses mensurations (taille et poids), elle établit un programme détaillé en tenant compte de la personnalité, des goûts et du mode de vie de chacun. Les diététiciennes s'accordent généralement pour dire que de nombreux consultants (qui sont d'ailleurs, bien souvent, des consultantes), sont capables de déterminer elles-mêmes leur poids de forme, c'est-à-dire le poids auquel elles se sentent bien. Chaque individu est unique : prenons l'exemple de deux femmes mesurant 1,60 m. L'une se sentira bien à 57 kg, l'autre trouvera son équilibre à 48 kg. Les consultant(e)s se fixent, en accord avec la diététicienne, un objectif raisonnable. En effet, il paraît difficile de retrouver à 50 ans le poids de ses 20 ans. La diététicienne modifie ensuite le programme minceur régulièrement, en fonction des résultats obtenus. Dès que le poids de forme a été atteint, elle met en place un programme de stabilisation.

Il est possible de consulter des professionnels de la nutrition afin de rectifier de mauvaises habitudes alimentaires ou de se faire prescrire un régime adapté. Les médecins peuvent également demander des examens de santé complémentaires ou prescrire des médicaments.

Les principes de la nutrithérapie

La nutrithérapie est une médecine visant à prévenir la maladie et à recouvrer la santé en adoptant une alimentation saine, complétée éventuellement par des supplémentations telles que les vitamines ou les oligo-éléments.

Importance de la qualité de l'alimentation

Longtemps, la notion d'énergie apportée par l'alimentation a été considérée comme essentielle. L'homme moyen avait une alimentation équilibrée qui apportait généralement tous les micronutriments* dont l'organisme avait besoin.
Aujourd'hui, l'apport énergétique quotidien est inférieur à ce qu'il était il y a encore cinquante ou cent ans. Résultat, des déficits en micronutriments peuvent apparaître. D'autant que le stress, la vie en ville, le tabagisme, la consommation excessive de produits industrialisés augmentent les besoins en vitamines*, oligo-éléments, acides gras poly-insaturés et acides aminés. Un vieillissement prématuré, des maladies dégénératives, des cancers peuvent apparaître.

La formation des nutrithérapeutes
La nutrithérapie n'est pas encore enseignée au sein des universités de médecine en France, mais tout docteur en médecine, qu'il ait suivi une formation spécifique en nutrithérapie ou pas, est libre d'exercer son art comme il l'entend. Des formations en oligothérapie sont dispensées au sein de certaines universités de médecine, telle la faculté de Bobigny.

Les promesses de la nutrithérapie

La nutrithérapie* a pour but d'aider l'organisme à se maintenir en bonne santé, à prévenir l'apparition de maladies, à désintoxiquer le corps saturé de déchets apportés par une alimentation souvent déséquilibrée ou trop industrialisée.
À titre préventif, on conseille la prise de micronutriments, de préférence d'origine naturelle, à petites doses. Lorsque la maladie est déclarée, les doses sont

plus importantes. Ces supplémentations doivent être effectuées sous contrôle médical.

Le choix des aliments

La nutrithérapie admet plusieurs principes qu'il convient de respecter :
– retrouver le plaisir de manger ;
– adopter une bonne hygiène de vie générale ;
– préférer les aliments sains et riches en micronutriments de bonne qualité (céréales complètes, fruits oléagineux...) aux aliments contenant des calories* « vides » (sucres rapides, graisses saturées...) ou toxiques (thé, café) ;
– augmenter sa consommation de sucres à index glycémique faible (sucres lents) ;
– consommer davantage de fibres alimentaires* ;
– associer aux protéines* d'origine végétale (céréales complètes, légumineuses...) une petite portion de protéines d'origine animale (poisson ou viande pauvre en graisses saturées) ;
– varier son alimentation pour éviter tout risque de carence.

Certains aliments ou certaines supplémentations pourront être recommandés pour prévenir ou éradiquer la maladie (*voir* pp. 48-49).

Aliments à éviter

– Tous les produits « toxiques », c'est-à-dire riches en sucres rapides, graisses saturées ou adjuvants de toutes sortes. Les pesticides contenus dans certains légumes, par exemple, pourraient stresser l'organisme qui réagirait en développant une maladie ou en stockant des réserves de graisse.
– Le lait et les produits laitiers, sauf le yaourt, sont à consommer avec modération par les adultes.
– Les excitants (thé, café, Coca-Cola...).
– Les aliments grillés, roussis (comme la viande cuite au barbecue), riches en benzopyrène, substance qui serait cancérigène.
– Les excès alimentaires, quels qu'ils soient.

La nutrithérapie admet que la santé passe par l'assiette. Des aliments sains, riches en substances bénéfiques, sont à substituer à la nourriture industrialisée. Des supplémentations (vitamines, oligo-éléments) sont dans certains cas préconisées.

Nutrithérapie et prévention de la maladie

De nombreuses études tendent à prouver que les vitamines, oligo-éléments, acides aminés et acides gras poly-insaturés protégeraient de nombreuses maladies.

Les micronutriments
Tous les micronutriments sont indispensables à l'organisme. Leur point commun est d'activer les enzymes qui interviennent dans la plupart des réactions biochimiques et d'agir au niveau de la protection et du renouvellement des cellules.

Les vertus de quelques aliments
La consommation d'ail et de kiwi permettrait de lutter contre les maladies cardio-vasculaires et le cancer. Le ginseng, le soja, la tomate et l'oignon empêcheraient également l'apparition de certains cancers. La consommation de thé vert ferait baisser le taux de cholestérol.

Du déséquilibre alimentaire à la carence

Parce que l'homme d'aujourd'hui mène généralement une existence sédentaire, il a tendance à manger moins – mais surtout moins bien – qu'il y a cinquante ans. Le développement du modernisme (transports, ascenseurs) contribue à le conforter dans sa sédentarité. Une alimentation équilibrée apportant 2 500 calories* par jour couvre, en principe, tous les besoins en macro* et micronutriments*. Or, la ration énergétique quotidienne tourne actuellement autour de 1 800 à 2 000 calories de nourriture souvent déséquilibrée (trop de sucres rapides et de graisses saturées) et pauvre en nutriments de qualité. Il suffit qu'un stress, un surmenage, une surconsommation de produits toxiques ou une intoxication tabagique, par exemple, viennent se greffer sur ces déséquilibres alimentaires et une carence (unique ou plurielle) en micronutriments peut apparaître, entraînant divers troubles.

Les vitamines

Les vitamines* sont des substances nécessaires à la vie et à la santé ; elles ne peuvent être fabriquées par l'organisme. Elles permettent la réalisation des réactions enzymatiques (*voir* brève ci-contre). À certains moments de la vie, ou comme conséquence d'une mauvaise hygiène de vie, les besoins en vitamines sont accrus. Une intoxication tabagique, par exemple, entraîne une surconsommation de vitamine C. De même, une carence en vitamine A pourrait entraîner l'apparition de certains cancers de la peau, comme un déficit en vitamine C et E favoriserait l'apparition de maladies cardio-vasculaires.

Les oligo-éléments

Comme les vitamines, les oligo-éléments sont nécessaires aux réactions enzymatiques et au bon fonctionnement des cellules. Leur carence entraîne des troubles plus ou moins graves. Un déficit en zinc, par exemple, provoque des troubles cutanés (de la peau), digestifs ou psychiques, tandis qu'une carence en magnésium peut engendrer des troubles cardiaques. Pour retarder les effets du vieillissement, une supplémentation en sélénium est aujourd'hui préconisée. En cas de règles douloureuses, les nutrithérapeutes recommandent, entre autres, une supplémentation en magnésium et en zinc.

Les acides aminés

Constituants des protéines*, les acides aminés sont indispensables à la vie. Huit d'entre eux (*voir* pp. 28-29) ne peuvent être synthétisés par l'organisme et doivent donc être apportés obligatoirement par l'alimentation. On conseille par exemple chez l'enfant, en cas de baisse des performances intellectuelles, une supplémentation en tyrosine, ou en taurine dans le cas d'énurésie (émission involontaire d'urine). Chez l'adulte, on peut prescrire, en cas de dépression, de la tyrosine et de la phénylalanine associées à d'autres micronutriments.

Les acides gras

Ils constituent l'un des composants des membranes cellulaires. Parmi eux, il existe des acides gras dits essentiels parce que le corps ne peut les fabriquer. Les huiles de tournesol et de pépins de raisin en sont riches. Ils font baisser le taux de mauvais cholestérol mais également celui du « bon ». C'est pourquoi il est conseillé de consommer parallèlement, pour obtenir une protection efficace contre les maladies cardiovasculaires, des acides gras mono-insaturés présents dans l'huile d'olive et de colza qui, eux, font baisser le taux de mauvais cholestérol sans modifier celui du « bon ».

Les personnes à risques

Certains individus risquent davantage de souffrir de déficit en micronutriments : les personnes sujettes à une intoxication tabagique ou alcoolique, suivant certains traitements médicamenteux spécifiques, victimes d'une maladie empêchant la bonne absorption des vitamines par l'organisme, les enfants, les femmes enceintes, les personnes âgées, les personnes suivant un régime* hypocalorique ou déséquilibré.

Une alimentation équilibrée ne suffit pas toujours à endiguer les risques de carences en micronutriments. Dans certains cas, et sur avis médical, certaines supplémentations sont recommandées.

Manger sain

La mode de l'alimentation saine est en train de détrôner celle des régimes déséquilibrés et hypocaloriques. L'homme occidental veut devenir l'artisan de sa santé, qui passe... par l'assiette.

La qualité non la quantité

Longtemps, on a considéré que pour être efficace, un régime* devait être hypocalorique. Les candidats à l'amincissement et à la santé raisonnaient donc en terme de calories*.
Mais la qualité des aliments n'était pas prise en compte. On considérait, par exemple, que l'énergie et l'apport nutritionnel dégagés par la consommation de riz blanc étaient équivalents à ceux dispensés par la même quantité de riz complet. De récentes découvertes ont mis l'accent sur l'importance de la qualité des aliments consommés. On sait aujourd'hui, entre autres, que les fibres alimentaires* contenues dans le riz complet jouent un rôle important dans la prévention de certaines maladies (*voir* pp. 30-31). Il est également prouvé que les légumes, riches en vitamines* liposolubles, perdent la plus grande partie de leurs vitamines lorsqu'ils stagnent trop longtemps dans l'eau.

Choisir des aliments sains
La tendance actuelle est d'acheter et de consommer des produits ayant subi le moins de traitements et de transformations possibles. Les légumes doivent être cultivés sans engrais ni pesticides, consommés frais plutôt qu'en conserve ou surgelés. Les plats tout préparés, riches en additifs, conservateurs, antioxydants et autres produits de synthèse ne devraient pas, en principe, figurer au menu de tout individu soucieux de préserver sa santé.

Quelques règles de base

L'homme moderne, surinformé par les médias, a pleinement conscience de l'absurdité de son mode d'alimentation. Mais dans la pratique, il est difficile de rejeter en bloc tous les produits plus ou moins industrialisés. La femme active et mère de famille trouvera plus pratique, après sa journée de travail, de glisser un plat tout préparé dans son four à micro-ondes que d'éplucher les haricots verts qu'elle sera passée chercher au magasin « bio » situé à l'autre extrémité de sa ville ! Il existe cependant certains principes que chacun peut appliquer au quotidien sans pour cela modifier radicalement ses habitudes alimentaires :

– consommer moins de lipides*, et notamment de lipides saturés ;
– réhabiliter les céréales et les légumineuses, complètes si possible ;
– troquer le pain blanc contre du pain complet ;
– remplacer la noix de beurre que l'on ajoute aux légumes par un filet d'huile d'olive ;
– préférer, en dessert, un fruit frais à un entremets ou à un yaourt aromatisé ;
– au supermarché, choisir des légumes issus de l'agriculture biologique et les brosser rapidement sous l'eau courante avant préparation ou consommation.

Les produits issus de l'agriculture biologique

Ils sont censés contenir moins de déchets et de produits toxiques. En ce qui concerne leur qualité intrinsèque, il est difficile de séparer le bon grain de l'ivraie. En 1985, le label AB (agriculture biologique) a été officialisé par les pouvoirs publics. Seuls les produits contenant plus de 95 % de denrées biologiques peuvent prétendre à ce label. Le ministère de l'Agriculture est seul habilité à autoriser ou à supprimer ce logo ; en revanche, certains produits « bio » d'excellente qualité ne portent pas cette mention sur leur emballage. Le logo « label rouge » que portent certaines viandes est également une garantie de qualité. En effet, et dans ce cas encore, seul le ministère de l'Agriculture est habilité à autoriser l'estampillage « label rouge », décerné selon des critères de sélection stricts.

Apprendre à lire les étiquettes
Pour faire face à la demande croissante des consommateurs en matière de produits naturels, la plupart des supermarchés proposent des gammes de produits « bio ». Trois organismes agréés par l'État et le ministère de l'Agriculture ont pour rôle de contrôler la production et la transformation des produits : Ecocert, Qualité France et Ascert international.

Pour manger sain, il est conseillé de consommer des aliments ayant subi le moins de transformations et de traitement possibles. La qualité des produits « bio » est réglementée et contrôlée par l'État et le ministère de l'Agriculture.

AB

Grignotage compulsif, anorexie et boulimie

Certains troubles du comportement alimentaire sont répertoriés parmi les maladies mentales. Ils peuvent entraîner des troubles physiques plus ou moins sévères, pouvant aller jusqu'à la mort.

Le jeûne

Le jeûne partiel, ou régime*, correspond à une restriction alimentaire. Le sujet souffre de la faim et devient obsédé par la nourriture. Il faut une grande volonté et beaucoup de motivation pour supporter la sensation de faim. C'est pourquoi il est aujourd'hui fortement conseillé d'éviter tout régime alimentaire trop restrictif et déséquilibré, même sur une courte période. Le jeûne total, c'est-à-dire la privation complète de nourriture de manière volontaire, est généralement utilisé pour se détacher des valeurs matérielles ou pour accéder à la spiritualité. Lorsque le jeûne est total, la sensation de faim disparaît au bout de quelques jours et un état d'euphorie, de légèreté, apparaît. Ce qui explique pourquoi des périodes de jeûne sont conseillées par la plupart des religions pour se purifier ou se rapprocher d'une entité divine.

Anorexie + boulimie
Certaines anorexiques sont victimes d'épisodes de boulimie* incontrôlés, qu'elles compensent par des procédés divers (le vomissement par exemple), afin d'éviter la prise de poids. Certains obèses ont également un comportement teinté d'anorexie et de boulimie : ils alternent les périodes de restriction alimentaire sévère avec celles de renoncement, où ils absorbent beaucoup plus de nourriture que leur corps n'en a besoin.

L'anorexie mentale

L'anorexie mentale* touche généralement les jeunes filles (9 filles pour 1 garçon) issues de milieux sociaux plutôt favorisés, combatives, bonnes élèves. Comme beaucoup de jeunes filles, elles commencent un régime alimentaire à visée amincissante qui tourne à l'obsession. Une fois le poids de forme atteint, elles continuent à se restreindre et à maigrir, se trouvant toujours trop rondes alors qu'elles sont devenues d'une maigreur maladive. Elles vivent dans l'obsession de perdre du poids. Les formes féminines fondent, les règles

disparaissent : l'anorexique mentale le vit comme une libération. Parallèlement, elle continue à être active, devient même parfois hyperactive. Elle souhaite avoir un total contrôle sur son corps, s'inflige des séances d'activité physique intense, si bien que l'entourage, dans un premier temps, ne remarque rien d'anormal.
Dans certains cas, l'anorexique guérit spontanément. Mais dans la plupart des cas, une prise en charge médicale, voire une hospitalisation sont nécessaires. Dans 5 % des cas, l'anorexie mentale entraîne la mort.

L'hyperphagie

Elle correspond au fait de manger volontairement au-delà de son appétit, afin de prendre du poids. Ce comportement existe de manière rituelle chez différentes peuplades où le surpoids est synonyme de puissance, de pouvoir ou de séduction.
Mais certaines personnes en surpoids sont victimes d'une hyperphagie incontrôlée. Ponctuellement ou plus régulièrement, elles consomment de la nourriture, avec ou sans faim, de manière compulsive. Contrairement aux boulimiques, qui recourent à des procédés variés afin d'éviter la prise de poids, les personnes victimes d'hyperphagie incontrôlée (qui absorbent plus d'énergie qu'elles n'en dépensent) présentent généralement une surcharge pondérale. Les crises surviennent environ deux fois par semaine, sur une période d'au moins six mois.

La boulimie

Elle correspond au fait d'absorber de manière incontrôlée une grande quantité de nourritures diverses, en ayant la sensation de ne pas pouvoir s'arrêter. Ces épisodes sont suivis de procédés compensatoires afin d'éviter la prise de poids (recours aux laxatifs, vomissements, jeûne...). Ces crises surviennent environ deux fois par semaine sur une période minimale de trois mois.

Certains comportements alimentaires sont considérés comme anormaux : absorption inconsidérée de nourriture (boulimie et hyperphagie), privation volontaire de nourriture (anorexie mentale).

Les thérapies pour en sortir

Les troubles du comportement alimentaire ont fait l'objet, ces dernières années, de nombreuses études. Différents procédés ont été mis au point pour tenter d'obtenir la guérison.

Les causes des troubles du comportement alimentaire

Plusieurs explications ont été invoquées pour expliquer l'origine de l'anorexie et de la boulimie* : troubles affectifs, conflits personnels, familiaux ou avec l'entourage – notamment avec la mère, étouffante ou trop rigide –, manque de communication au sein de la famille, divorce des parents, perception négative d'une société qui voue un culte à la minceur, tout en proposant à profusion des aliments hypercaloriques appétissants. En réalité, chaque personne sujette à des troubles du comportement alimentaire a vécu un parcours personnel, avec une problématique et des conflits qui lui sont propres.

Le milieu hospitalier

L'anorexique en état de dénutrition avancée doit être hospitalisée afin que ses jours ne soient pas mis en danger. Elle est ainsi momentanément éloignée de son milieu familial. Quand l'état de dénutrition et de faiblesse est trop avancé, l'anorexique est, au départ, nourrie par perfusion ou sonde gastrique. Puis elle établit avec le médecin qui l'a sous sa responsabilité un contrat portant sur le nombre de kilos à reprendre.
L'anorexique est encouragée à participer à des groupes de parole et à des activités diverses afin de rompre son isolement. Chaque progrès donne lieu à des privilèges : visites des proches, participation à des activités, puis sortie de l'hôpital lorsque le poids convenu a été atteint. Un suivi psychothérapeutique est généralement préconisé sur place et après sa sortie. Il peut durer plusieurs années.

Les psychothérapies
L'anorexique admis à l'hôpital bénéficie rapidement d'un suivi psychothérapeutique qu'il devra maintenir après sa sortie. Le boulimique ou l'hyperphage peut également entreprendre une psychothérapie. Les troubles du comportement alimentaire sont considérés par le thérapeute comme le symptôme d'un conflit intérieur et non comme le centre du problème.

Les médicaments

Les médicaments qui stimulent l'appétit ne sont d'aucun secours à l'anorexique, habituée qu'elle est à lutter contre la faim. Des supplémentations vitaminiques ou à base de sels minéraux* peuvent l'empêcher d'atteindre un état de dénutrition trop important. Des préparations hyperprotéinées peuvent également être prescrites.
L'état de santé de l'anorexique peut également nécessiter la prise de psychotropes (antidépresseurs, anxiolytiques...)
La prise de diurétiques, à laquelle se livrent certaines personnes sujettes à des troubles du comportement alimentaire, n'a aucun effet sur la perte de tissu adipeux : ces médicaments éliminent l'eau et non la graisse. Dès l'arrêt du traitement, la reprise du poids perdu (en eau) est immédiate. Les diurétiques sont prescrits dans des cas particuliers tels que l'œdème cyclique idiopathique (rétention d'eau avant les règles).

Attention
Le rôle des parents est de rester vigilant afin d'éviter à leurs filles de sombrer dans l'anorexie. Tout régime qui se prolonge, suivi d'un amaigrissement exagéré et d'un arrêt des règles, est un signal. Il s'agit d'inciter la jeune fille à consulter dans les plus brefs délais.

Les thérapies comportementales

Elles consistent à rééduquer le comportement alimentaire de la personne boulimique ou hyperphage en vue d'espacer puis de faire disparaître les crises et les séances de vomissements. Le patient est encouragé à noter, sur un carnet, ses prises alimentaires, même (et surtout) en dehors des repas, les événements ou *stimuli* qui ont précédé la venue d'une crise, les sensations éprouvées après la crise... Des horaires de repas réguliers, assis à table, en prenant son temps, sont préconisés. Une rééducation alimentaire s'impose, afin que la personne cesse d'alterner les périodes de boulimie, où elle absorbe une quantité impressionnante de nourriture généralement calorique – qu'elle s'interdit le reste du temps – avec des périodes de restriction alimentaire sévère. Tous les aliments deviennent autorisés, mais en petites quantités.

Les troubles du comportement alimentaire sont aujourd'hui pris au sérieux et soignés grâce à différents procédés : hospitalisation, médicaments, rééducation alimentaire et (ou) psychothérapie.

Tableau des calories*

Valeur calorique de la plupart des aliments et teneur (en g) en protéines*, lipides* et glucides*.

Aliment	Quantité	Calories	Protides	Lipides	Glucides
Abricot frais (50 g)	1	22	1	0	10
Agneau : côte (filet)	1	100	19	13	0
Agneau : gigot	100 g	215	25	13	0
Amande	1	10	0,5	1	0,5
Ananas	100 g	51	0,5	0	12
Andouillette	100 g	150	20	8	0
Artichaut	100 g	40	2	0	8,5
Asperge	100 g	26	2	0	4
Aubergine	100 g	19	1	0,5	3
Avocat	100 g	200	2	20	6
Baguette	1 (200 g)	510	14	1,5	110
Banane	unité (150 g)	135	2	0	30
Beurre	100 g	750	1	83	0
Beurre à 40 % mg	100 g	410	7	42	2
Biscottes	1 biscotte	35	1	0,5	7
Blanc d'œuf	1	20	5	0	0
Blé (farine)	100 g	365	10	1	79
Bœuf bourguignon	100 g	195	30	8	0
Bœuf : bavette, bifteck	100 g	150	28	4	0
Bœuf : bifteck haché 5 % mg	100 g	130	21	5	0
Bifteck haché bœuf 15 % mg	100 g	207	18	15	0
Bœuf : côte	100 g	257	17	21	0
Bœuf : rosbif	100 g	148	28	4	0
Boudin blanc	100 g	290	11	27	1
Boudin noir	100 g	345	11	33	2
Brioche	100 g	315	7,5	7,5	54
Brocolis	100 g	35	2,5	0	5,5
Brugnon	1 (150 g)	96	1	0	22,5
Cabillaud	100 g	79	18	0,5	0
Cacahuètes	100 g	588	26	50	8,5
Camembert 45 % mg	1 part	125	8	9,5	1,5
Carotte	100 g	38	1	0	8,5
Cassis	100 g	41	1,5	0	9
Céleri-branche	100 g	15	1	0	2,5
Cerises	100 g	78	1	0	18
Champignons (Paris)	100 g	28	3	0	4

Aliment	Quantité	Calories	Protides	Lipides	Glucides
Cheval	100 g	110	22	2,5	0
Chips	100 g	580	5,5	40	50
Chocolat noir	100 g	550	5	30	65
Chocolat au lait	100 g	565	9	38	50
Chou	100 g	28	1,5	0	5
Chou-fleur	100 g	20	2	0	2,5
Clémentine	unité	20	0,5	0	4,5
Coca-Cola	33 cl	140	0	0	35
Coca-Cola light	25 cl	3	0	0	0
Colin (merlu)	100 g	80	17	2	0
Concombre	100 g	13	1	0	2
Confiture	100 g	280	0,5	0	70
Coquilles-st-Jacques	100 g	75	15	0,5	4
Corn-flakes	100 g	385	8	1,5	85
Courgette	100 g	20	2	0	3
Crème fraîche	100 g	300	7	30	4
Crème fraîche allégée	100 g	165	3	15	4,5
Cresson	100 g	18	2	0	2
Crevettes	100 g	115	24	2	0
Croissant au beurre	unité	210	3,5	9	29
Dinde (escalope)	100 g	150	29	4	0
Éclair au café, éclair au chocolat	unité	225	5,5	10	26
Endive	100 g	20	1	0	3
Épinards	100 g	25	2	0	3
Fèves séchées	100 g	350	20	2,5	60
Flageolets cuits	100 g	120	8	1	42
Flan	100 g	140	3,5	5	24
Foie de génisse	100 g	145	23	4	4
Foie gras	100 g	450	7	45	2
Fraises	100 g	35	1	0	8
Framboises	100 g	40	1	0	9
Frites	100 g	400	5	19	52
Frites allégées	100 g	230	3	9	34
Fromage blanc à 0 %	100 g	44	8	0	12
Fromage blanc 20 %	100 g	80	8	4	3
Fromage	100 g	260 à 400	15 à 33	15 à 35	2 à 15
Glace (crème glacée)	1 boule	115	3	4	16
Groseilles	100 g	28	1	0,5	5
Gruyère	100 g	390	29	30	1
Hamburger	unité	270	14	14	23
Haricots verts	100 g	40	2,5	0	7
Huile végétale	100 g	900	0	100	0

Aliment	Quantité	Calories	Protides	Lipides	Glucides
1 cuil. à soupe d'huile		100	0	11	0
Huîtres	12	90	12	2,5	6
Jambon de Paris	100 g	170	20	10	0,5
Jambon dégraissé	100 g	120	21	4	0.4
Jaune d'œuf	unité	60	2,5	5,5	0
Lait écrémé	100 g	33	3,3	0,2	4,5
Lait demi-écrémé	100 g	45	3,2	1,6	4,5
Lait entier	100 g	62	3.2	3,5	4,5
Laitue	100 g	18	1	0	3
Lapin	100 g	150	22	8	0
Lardons	100 g	278	15	24	0,5
Maïs doux (conserve)	100 g	120	3	1,5	23,5
Mandarine	unité	32	0,3	0	7,7
Margarine	100 g	755	1	83	1
Margarine allégée	100 g	542	0,1	60	0,2
Mayonnaise	100 g	710	1,3	78	0,7
Mayonnaise allégée	100 g	415	1	39	14,5
Melon	100 g	27	1	0,2	5,5
Merlu	100 g	79	17	1,2	0
Morue fraîche	100 g	79	18	0,5	0
Moules	100 g	118	20	3	3
Mousse au chocolat	100 g	445	6	18	40
Mouton : côtelette	100 g	225	18	17	0
Mouton : épaule	100 g	290	16	25	0
Mûres	100 g	57	1	0	12
Myrtilles	100 g	57	0,6	0	13,5
Navet	100 g	35	1	0	7
Noisette	100 g	382	7.5	36	7
Noix	100 g	660	15	60	15
Œuf de poule	unité	80	7.5	5,5	0
Oignon	100 g	45	1,5	0	10
Orange	Unité	60	1,5	0	13,5
Pain au chocolat	1	287	5	15	33
Pain complet	100 g	262	8,5	1,5	53,5
Pamplemousse	1	120	1,8	0	27
Pâtes cuites	100 g	110	3,5	0.2	23,5
Pâté	100 g	342	14	30	4
Pêche	Unité	71	0,7	0	16,5
Petit-suisse 40 % mg	unité (30 g)	44	3	3	1,2
Petits pois	100 g	70	4	0	12
Pistaches	100 g	606	21	52	13,5
Pizza	1 part, 130 g	290	9	33	13
Poire	Unité	90	0,5	0	21

Aliment	Quantité	Calories	Protides	Lipides	Glucides
Poireau	100 g	42	2	0	7,5
Poivron	100 g	22	1	0	4
Pomme	unité (150 g)	82,5	0,3	0	18
Pommes de terre à l'eau	100 g	90	2	0	19
Pommes de terre sautées	100 g	126	2,2	6,2	15,3
Porc : côte	100 g	330	15	30	0
Porc : rôti	100 g	293	17	25	0
Potage de légumes	1 bol	180	0	0	45
Poulet rôti	100 g	150	21	7	0
Prune	unité	20	0,8	0	4,5
Pruneau	unité	20	0,5	0	4,5
Quiche lorraine	100 g	310	9	19	25,5
Radis	100 g	18	1	0,2	3
Raisin	100 g	80	1	0	17
Rillettes	100 g	550	18	50	4
Riz blanc cuit	100 g	95	2	0	20
Riz complet cuit	100 g	97	2,4	0,5	20,4
Sauce vinaigrette	100 g	660	0,1	73	0,5
Saucisse (Francfort ou Toulouse)	100 g	300	22	50	2
Saucisson sec	100 g	445	23	38	2,5
Saumon	100 g	200	20	14	0
Scarole	100 g	25	1,5	0	4
Sorbet aux fruits	2 boules	110	0,5	0,5	25,5
Sucre	1 morceau	20	0	0	5
Thon à l'huile	100 g	280	25	20	0
Thon au naturel	100 g	225	27	4	0
Thon frais	100 g	135	25	8,5	0
Tomate	100 g	20	1	0	4
Veau : côtelette	100 g	112	21	3	0
Veau : escalope	100 g	151	31	3	0
Veau : rôti	100 g	238	29	13,5	0
Vin rouge à 11°	1 verre (15 cl)	93	0	0	0
Whisky	1 verre (8 cl)	384	0	0	0
Yaourt nature	1 yaourt (125 g)	55	5,5	1,2	6,5
Yaourt maigre	1 yaourt (125 g)	44	5	0	6
Yaourt aromatisé	1 yaourt (125 g)	106	6,2	1,2	17,5

Les besoins énergétiques selon l'âge et l'activité physique

Les besoins énergétiques varient selon l'âge et l'activité physique de chacun. Voici, à titre d'exemples, quels sont les besoins théoriques des individus à tous les âges de la vie, ainsi que l'énergie brûlée au cours de certains efforts physiques.

Besoins énergétiques selon l'âge et l'activité physique

Individu	Besoins énergétiques en calories*
Enfant de 3 ans	1 200
Enfant de 5 ans	1 900
Enfant de 8 ans	2 100
Enfant de 10 ans	2 200
Enfant de 12 ans	2 400
Adolescent	2 500 à 3 000
Homme adulte, plutôt sédentaire	1 800 à 3 000 selon la taille et le poids
Homme 1,70 m, 60 à 65 kg	1 800 à 2 200
Homme 1,75 m, 65 à 70 kg	1 900 à 2 400
Homme 1,80 m, 68 à 75 kg	2 000 à 2 600
Homme 1,85 m, 73 à 78 kg	2 100 à 2 800
Homme 1,90 m, 77 à 82 kg	2 200 à 3 000
Femme adulte, plutôt sédentaire	1 200 à 2 200 selon la taille et le poids
Femme 1,55 m, 43 à 47 kg	1 200 à 1 600
Femme 1,60 m, 47 à 51 kg	1 350 à 1 700
Femme 1,65 m, 51 à 55 kg	1 500 à 1 900
Femme 1,70 m, 55 à 60 kg	1 600 à 2 000
Femme 1,75 m, 59 à 65 kg	1 700 à 2 200
Femme enceinte ou allaitante	2 500
Homme adulte, sportif	3 500
Femme adulte, sportive	2 500 à 2 800
Homme âgé, sédentaire	2 400
Femme âgée, sédentaire	1 700

Dépense énergétique selon l'activité physique

Activité physique	Calories brûlées/heure
Travail sédentaire (travail de bureau)	0 à 50
Dactylographie	30
Jouer du piano	50
Faire l'amour	50 à 300
Pratiquer le tennis de table	60
Pratiquer le ski de piste	150 à 500
Marche lente	180
Marche rapide	300
Ski de fond	300 à 600
Danse moderne	400
Musculation	450
Natation	480
Jogging	540
Tennis	600
Football	700
Squash	900
Course à pied (15 km/h)	1 000

Attention

Ces besoins et ces dépenses varient selon différents facteurs : l'âge, le poids, l'intensité de l'activité physique, l'importance de la masse musculaire (les personnes musclées brûlent davantage d'énergie, même à l'état de repos, que les personnes non musclées) et même le stress ou les émotions.

D'autre part, il existe, nous l'avons dit, de « grands brûleurs » et de « petits brûleurs » d'énergie. À régime* alimentaire identique, certains prendront du poids, tandis que d'autres réussiront à maintenir leur poids de forme ou maigriront.

Glossaire

Anorexie mentale : refus de s'alimenter.
Boulimie : absorption compulsive de nourriture suivie ou non de procédés visant à éviter la prise de poids (vomissements, laxatifs, activité physique intensive).
Calorie : unité de mesure de l'énergie dégagée par un aliment.
Diététique : art de bien manger.
Fibres alimentaires : substances présentes dans la plupart des végétaux, ne dégageant pas d'énergie, et dont la consommation permet de lutter contre certaines maladies telles que la constipation, le surpoids, l'hypercholestérolémie ou le cancer du côlon.
Glucides : sucres. Les glucides constituent les nutriments* de l'énergie et peuvent être stockés sous forme de glycogène dans les muscles et dans le foie.
Junk food : nourriture toute préparée, grasse et sucrée, consommée rapidement (hamburgers, frites, chips, barres chocolatées...).
Lipides : graisses. Les lipides pourvoient l'organisme en énergie et représentent l'un des constituants de certaines structures du corps.
Macronutriments : protéines*, glucides*, lipides*.
Micronutriments : vitamines*, oligo-éléments, acides aminés, acides gras.
Nutrithérapie : thérapeutique visant à prévenir et à guérir la maladie en consommant des aliments d'origine naturelle et en recourant, éventuellement, à certaines supplémentations.
Obésité : surpoids dû à un excès de masse grasse. Les obèses ont un indice de masse corporelle supérieur à 27.
Protéines : (protides), molécules représentant le composant architectural de l'organisme ne pouvant être stockées.
Régime : programme alimentaire que l'on adopte en vue de perdre du poids ou en raison de certaines maladies.
Sels minéraux, oligo-éléments : substances métalloïdes contenues dans la plupart des aliments, non caloriques, et indispensables au bon fonctionnement de l'organisme.
Vitamines : substances non caloriques contenues dans la plupart des aliments et intervenant lors des métabolismes fondamentaux.

Adresses utiles

Services spécialisés dans la nutrition et la perte de poids (établissements hospitaliers)
Hôtel-Dieu, Centre diagnostic nutrition
1, rue de la Cité, 75004 Paris
Tél. : 01 42 34 80 64
Hôpital Bichat, Service nutrition
46, rue Huchard, 75018 Paris
Tél. : 01 40 25 82 39

Diététiciens
Association des diététiciens de langue française
35, allée Vivaldi, 75012 Paris
Tél. : 01 40 02 03 02

Boulimie, anorexie
GEFAB
7, rue Antoine-Chantin, 75014 Paris
Tél. : 01 45 43 44 75

Naturopathie
CENATHO (Collège européen de naturopathie traditionnelle holistique)
173, Faubourg-Poissonnière,
75009 Paris
Tél. : 01 48 78 43 68

Bibliographie

APFELDORFER (Gérard), *Anorexie, boulimie, obésité*, coll. « Dominos », Flammarion, 1995.
Une étude approfondie, mais néanmoins accessible à tous, des principaux troubles du comportement alimentaire et de leurs thérapies.

BASDEVANT (Arnaud), LE BARZIC (Michelle), GUY-GRAND (Bernard), *Les Obésités*, Ardix Médical, Documentation scientifique, 1993.
Un ouvrage scientifique sur le problème de l'obésité, ses causes, ses solutions, avec de nombreuses statistiques et des études sérieuses.

DR CAHANE (Jean-Pierre), DE NARBONNE (Claire), *Nourritures essentielles*, First, 1995.
Un guide clair et accessible à tous pour s'initier à la nutrithérapie.

Dr FRICKER (Jacques), *Le Nouveau Guide du bien maigrir*, coll. « Guide », Odile Jacob, 1996.
Tout ce qu'il faut savoir pour perdre du poids et ne pas le reprendre.
Avec des recettes minceur et des exercices de gymnastique.

LATY (Dominique), *Les Régimes alimentaires*, coll. « Que sais-je ? », PUF, 1996.
Un aperçu des habitudes alimentaires à travers les lieux et les époques.

PINSON (Claire), *Le livre de bord de la minceur*, Marabout, 1997.
Le guide complet de la chasse aux kilos.

Index

Le numéro de renvoi correspond à la double page.

Dans la collection *Les Dicos Essentiels Milan*

Le dico du multimédia
Le dico du citoyen
Le dico du français qui se cause
Le dico des sectes
Le dico de philosophie
Le dico des religions

Dans la collection *Les Essentiels Milan*

1 Le cinéma
2 Les Français
3 Platon
4 Les métiers de la santé
5 L'ONU
6 La drogue
7 Le journalisme
8 La matière et la vie
9 Le sida
10 L'action humanitaire
12 Le roman policier
13 Mini-guide du citoyen
14 Créer son association
15 La publicité
16 Les métiers du cinéma
17 Paris
18 L'économie de la France
19 La bioéthique
20 Du cubisme au surréalisme
21 Le cerveau
22 Le racisme
23 Le multimédia
24 Le rire
25 Les partis politiques
26 L'islam
27 Les métiers du marketing
28 Marcel Proust
29 La sexualité
30 Albert Camus
31 La photographie
32 Arthur Rimbaud
33 La radio
34 La psychanalyse
35 La préhistoire
36 Les droits des jeunes
37 Les bibliothèques
38 Le théâtre
39 L'immigration
40 La science-fiction
41 Les romantiques
42 Mini-guide de la justice
43 Réaliser un journal d'information
44 Cultures rock
45 La construction européenne
46 La philosophie
47 Les jeux Olympiques
48 François Mitterrand
49 Guide du collège
50 Guide du lycée
51 Les grandes écoles
52 La Chine aujourd'hui
53 Internet
54 La prostitution
55 Les sectes
56 Guide de la commune
57 Guide du département
58 Guide de la région
59 Le socialisme
60 Le jazz
61 La Yougoslavie, agonie d'un État
62 Le suicide
63 L'art contemporain
64 Les transports publics
65 Descartes
66 La bande dessinée
67 Les séries TV
68 Le nucléaire, progrès ou danger ?
69 Les francs-maçons
70 L'Afrique : un continent, des nations
71 L'argent
72 Les phénomènes paranormaux
73 L'extrême droite aujourd'hui
74 La liberté de la presse
75 Les philosophes anciens
76 Les philosophes modernes
77 Le bouddhisme
78 Guy de Maupassant
79 La cyberculture
80 Israël
81 La banque
82 La corrida
83 Guide de l'état
84 L'agriculture de la France
85 Argot, verlan, et tchatches
86 La psychologie de l'enfant
87 Le vin
88 Les OVNI
89 Le roman américain
90 Le jeu politique
91 L'urbanisme
93 Alfred Hitchcock
94 Le chocolat
95 Guide de l'Assemblée nationale
96 À quoi servent les mathématiques ?
97 Le Front national
98 Les philosophes contemporains
99 Pour en finir avec le chômage
101 Le problème corse
102 La sociologie
103 Les terrorismes
104 Les philosophes du Moyen Âge et de la Renaissance
105 Guide du Conseil économique et social
106 Les mafias
107 De la Ve à la VIe République ?
108 Le crime
109 Les grandes religions dans le monde
110 L'eau en danger ?
112 Mai 68, la révolution fiction
113 Les enfants maltraités
114 L'euro
115 Les médecines parallèles, un nouveau défi
116 La calligraphie
117 L'autre monde de la Coupe
118 Les grandes interrogations philosophiqu
119 Le flamenco, entre révolte et passio
120 Les cathares, une église chrétienne au bûcher
121 Les protestants
122 Sciences cognitives et psychanalyse
123 L'enfant et ses peurs
124 La physique, évolution et enjeux
125 Freud et l'inconscient
127 Le droit, l'affaire de tous
128 Comprendre la peinture
129 L'euthanasie, mieux mourir ?

Responsable éditorial
Bernard Garaude
Directeur de collection – Editic
Dominique Auzel
Secrétariat d'édition
Anne Vila
Correction – révision
Didier Dalem
Iconographie
Sandrine Batlle
Conception graphique
Bruno Douin
Maquette - Infographies
Isocèle
Fabrication
Isabelle Gaudon
Sandrine Sauber-Bigot

Crédit photo
Sygma : pp. 3, 6, 12, 17, 21, 28, 40, 51.

Aubin Imprimeur, 86240 Ligugé.
D.L. janvier 1999. - Impr. P 57419